La République de Poutine

Également dans la collection *Pluralisme* :

Esther Delisle — *Le Traître et le Juif : Lionel Groulx, Le Devoir et le délire du nationalisme d'extrême-droite dans la province de Québec 1929-1939.*

André D'Allemagne — *Les Indépendantistes des années '50 à nos jours.*

Angéline Fournier, Louis-Philippe Rochon, et al — *Thèse ou foutaise : réflexions sur notre société.*

François Dallaire

La République de Poutine

Le Québec indépendant en l'an 2003,
suivi de
LA SOCIÉTÉ DISTINGUÉE

L'ÉTINCELLE ÉDITEUR

*plura*lisme

DIFFUSION

Canada:
Médialiv-Dimedia
539 Boulevard Lebeau
St-Laurent, Québec H4N 1S2
Tél. [514] 336-3941 FAX 331-3916

France-Belgique
Quorum-Magnard Diffusion
5 Boulevard Marcel Pourtout
92500 Rueil Malmaison
Tél. 47.49.59.99 FAX 47.14.97.92
Distribution : Dilisco

Suisse
Diffulivre
41, Jordils
1025 St-Sulpice
Tél. 021) 691-5331 FAX 691-5330

Données de catalogage avant publication (Canada) :
Dallaire, François, 1945–
La République de Poutine : le Québec indépendant de l'an 2003 ; suivi de, La société distinguée
(Pluralisme)
ISBN 2-89019-241-5
1. Québec (Province) - Histoire - Autonomie et mouvements indépendantistes. 2. Québec (Province - Civilisation. 3. Français (Langue) - Québec (Province) - Aspect politique. I. Titre II. Titre : La société distinguée. III. Collection : Pluralisme (Montréal, Québec).
FC2925.9 S4D34 1992 971.4'04 C92-097039-7
F1053.2.D34 1992

Illustration : Maggie Finnegan

Dépôt légal 3e trimestre 1992, Bibliothèque nationale du Québec, Bibliothèque nationale (Paris), Bibliothèque royale (Bruxelles).

ISBN 2-89019-241-5

1 2 3 4 5 6 7 1992 1993 1994 1995 1996 1997

Du même auteur:

OKA—La Hache de guerre

Éditions La Liberté, 1991

TABLE

LA RÉPUBLIQUE DE POUTINE

LA SOCIÉTÉ DISTINGUÉE ET...

Introduction

L'INDÉPENDANCE C'EST BIEN BEAU, mais après ? À quoi ressemblerait une éventuelle République du Québec ?

Le présent exercice de prospective transporte le lecteur dix ans après une victoire du « Oui » lors du référendum qui aurait demandé aux Québécois s'ils étaient prêts à larguer les amarres qui les fixaient au reste du Canada. Une fois retombée l'euphorie de la « libération », un constat s'impose de plus en plus : le Canada anglais s'effrite et tombe en pièces détachées dans les mains des États-Unis.

Baptiste se retrouve alors gros Jean comme devant. L'Indépendance, loin d'éloigner le péril de l'anglicisation, a mis le Québec (six millions de personnes) face à face avec la seule puissance hégémonique de la planète : les États-Unis (maintenant 275 millions d'habitants avec les anciens *Canadians*).

Les Québécois se sont enfin donné un pays, mais un pays qui ne fait pas le poids sur la scène du monde. Quand le président de la République de Poutine (l'expression est d'un humoriste acadien) téléphone à la Maison-Blanche pour discuter pluies acides ou commerce de bardeaux, l'Oncle Sam ne retourne même pas ses appels. Nous sommes devenus l'Uruguay du nord, une république de sirop d'érable.

Réveil brutal pour plusieurs, mais pas pour tous. L'opération a quand même profité à beaucoup de monde : les amis du régime qui se retrouvent à des postes politiques de prestige, certaines gens d'affaires choyés par les politiques économiques québécoises, une pléthore de professionnels qui ont réussi à raffermir leur emprise sur un marché traditionnel maintenant plus assujetti que jamais, etc.

Parmi les nombreux perdants : tous ceux et celles qui ont vu le cadre politique et économique où ils évoluaient être amputé des quatre cinquièmes. Plusieurs grandes entreprises étouffaient à l'intérieur des limites canadiennes ? Qu'à cela ne tienne, l'Indépendance vient de leur trouver une autre dimension, plus restreinte encore : la vallée élargie du Saint-Laurent.

Le présent écrit est tout à fait populiste. Il se propose en effet de dénoncer le double jeu des élites politiques et artistiques qui veulent conserver leur ascendant sur un marché captif francophone, tout en se bilinguisant elles-mêmes (ainsi que leurs rejetons) pour s'assurer une prise directe sur la source de la technologie — et donc de la prospérité — qui, elle, parle le plus souvent anglais.

* * *

En 1993, les Québécois ont voté pour l'Indépendance d'abord et avant tout pour s'affirmer en tant que société distincte. L'auteur de ce pamphlet opine que la société « distinguée » n'avait absolument pas besoin de refaire la carte politique du nord de l'Amérique pour s'épanouir à sa façon.

En fait, si la collectivité francophone du Québec avait réuni des individus aussi différents des autres Nord-Américains qu'ils le prétendaient, sa « distinction » se serait imposée à tous et elle n'aurait pas eu à en faire un enjeu politique. Pour paraphraser un chanteur populaire — maintenant retiré en Provence — qui faisait fureur au Québec dans les années soixante,

« vivre en ce pays, c'est comme vivre aux États-Unis.... ». Mis à part, il va sans dire, la langue et les escaliers extérieurs de certaines rues de Montréal.

Les Québécois veulent mener à bien leur projet de société à eux ? Qui donc les en empêche ? Certainement pas ces pauvres Anglais. Le principal obstacle, en fait, c'est peut-être bien un manque d'imagination.

En ouvrant certaines pistes, l'auteur invite ses lecteurs à sortir de leur petite cour pour découvrir les voies d'un épanouissement individuel original et d'un dépassement collectif inédit.

La République de Poutine

I

La procession

NOUS SOMMES LE 24 JUIN 2003. Il fait un temps superbe et la traditionnelle parade de la Saint-Jean-Baptiste s'annonce spectaculaire. Le thème de cette année : le dixième anniversaire de la République. Une pleine décennie d'Indépendance.

* * *

Il y a dix ans aujourd'hui en effet, qu'après avoir remporté de justesse le référendum sur la question, un ancien professeur d'économie a proclamé l'indépendance du Québec. Les liens politiques avec le Canada anglais ont été rompus ; le Québec, parrainé par la France, a demandé et obtenu un siège aux Nations unies ; « Mon pays, ce n'est pas un pays, c'est l'hiver... » a été choisi comme hymne national ; une rédactrice de téléromans à la stature intellectuelle et physique titanesque a été nommée ministre de la Culture ; l'enseignement de l'anglais est maintenant interdit avant le Cégep ; Télé-Québec (dans un nouvel esprit de correspondance entre le nom et l'activité, on a rebaptisé Radio-Québec, remarquant que cette télévision éducative produisait des émissions de... télévision) a vu son mandat élargi à l'ensemble du pays, c'est-à-dire du Témiscamingue aux Îles-de-la-Madeleine ; le régime républicain a été vite instauré, sans aucun regret pour la monarchie constitutionnelle britannique.

Après vingt ans d'hésitation, les Québécois se sont enfin décidés à passer à l'âge adulte, comme le dit le Président fondateur. Il aura fallu un quart de siècle à ce peuple pour prendre au mot le grand général qui l'avait électrisé par son cri historique de « Vive le Québec libre ». La nation canadienne française est enfin à égalité avec d'autres groupes nationaux qui règnent sans partage sur le territoire qu'ils occupent : les Suédois, les Espagnols, les Japonais, les Australiens, les Cubains, les Albanais, etc.

* * *

À propos de territoire, il y a bien eu une tentative de blocage de la part de quelques bandes indiennes anglicisées, mais des problèmes d'organisation les ont empêchées de réagir à temps.

Le défilé géant qui remonte la rue Sherbrooke vers l'ouest vient de s'ébranler du parc Lafontaine.

Sur le char de tête, tiré par un tandem de chevaux blancs, don de la Pologne, le Président et père du Québec indépendant trône fièrement. Cet homme a décidément l'allure et la trempe d'un chef d'État. Son port altier inspire les foules et la finesse de son intelligence séduit les intellectuels. En fait, bien peu de beaux esprits osent l'affronter. Il possède ce talent politique unique qui consiste à affirmer des demi-vérités sur le ton péremptoire d'une évidence qui aurait dû s'imposer depuis longtemps à l'esprit de l'interlocuteur. En sa présence, on se sent petit. À ses côtés, on se sent protégé. À sa suite, on se sent fort et brave. Un vrai leader !

Depuis le grand matin de l'Indépendance, il a offert sa démission comme Président à deux reprises, mais le peuple l'a supplié de rester, sachant bien que l'Indépendance, sans lui, ne se serait jamais faite. Aujourd'hui, il en demeure le pilier central.

Dans le deuxième char allégorique prennent place des danseurs et des danseuses vêtus de blanc et portant des pétales bleus qui se déploient lentement. Le symbole est clair : ces fleurs de lys qui s'ouvrent sont la représentation du nationalisme québécois qui s'épanouit enfin.

Derrière ce bouquet bleu et blanc, le char thématique sur la langue exhibe à la foule en liesse un immense sac transparent qui contient des illustrations géantes des accents caractéristiques de la langue française : l'aigu, le grave et le circonflexe. Certains coiffent même des majuscules. Dispersés parmi ces accents, quelques trémas et plusieurs cédilles.

Plus loin, le char de « la bonne cuisine de chez nous » offre un chaudron, une grande assiette de métal et un casseau en carton. Un ingénieux dispositif fait émaner de ces contenants les fumets de leurs contenus respectifs : le ragoût de pattes de cochon, la tourtière et la poutine.

Les journaux ont rapporté que la présence de la poutine sur ce char est le résultat d'une chaude lutte entre les puristes et les populistes. Les puristes, représentant les intellectuels et les artistes, ne voulaient rien entendre de ce « mets » réputé lourd et saturé de cholestérol. Les populistes ont finalement eu gain de cause en arguant qu'au Québec, on trouve infiniment plus de débits de poutine que d'établissements servant de la tourtière. On raconte que le Président a dû trancher lui-même. Bien qu'il ait avoué n'avoir jamais mangé de ce mélange de frites et de fromage, il a fait remarquer, en bon économiste, que le bas prix de la poutine la mettait à la portée de toutes les bouches.

Cette année, l'exhibit d'Hydro-Québec occupe deux chars. Le premier transporte une énorme structure gris ciment : c'est un des barrages de Grande- Baleine. La seconde plate-forme soutient une usine (ça a l'air d'une aluminerie) et elle est rattachée au premier char par d'énormes câbles de métal suspendus à des pylônes miniatures.

On dit qu'il avait été question de placer un troisième char entre le barrage qui accumule l'eau et l'usine qui en utilise l'énergie. Il aurait transporté la pièce maîtresse de l'ensemble : la turbine, laquelle transforme la force cinétique de l'eau qui tombe en énergie électrique facilement utilisable. Cette idée a été abandonnée quand un petit malin a fait remarquer que les génératrices de la Haute-Baie-James étaient de conception japonaise.

Derrière ceux de l'Hydro, s'allonge la longue file de chars d'autres entreprises parapubliques : Société des alcools, Société nationale des chemins de fer du Québec (SNCFQ), Air Québec, Québec Navigation, Caisse de dépôt et de placement, Serres Manseau, SIDBEC, Aliments Mémé, etc.

Il faut dire que les firmes du secteur parapublic ont de quoi pavoiser. Depuis l'Indépendance, elles assurent près de 50 % du produit intérieur brut du pays. Leurs employés constituent le noyau des supporters inconditionnels du Parti Québécois. On les comprend, car ils forment maintenant la nouvelle aristocratie ouvrière de la nation : salaires généreux et longue liste d'avantages sociaux absents des rêves les plus fous des serveuses de brasseries.

Le financement de ces entreprises d'État est assuré par une surtaxe sur la consommation d'électricité et le recours à des emprunts auprès de la Communauté européenne.

Plus loin derrière, on aperçoit la tête du marteau que tient l'imposante statue du char de la toute-puissante Association des femmes du Québec. Rehaussée par un solide piédestal, une matrone en bois aux traits de virago s'apprête à frapper un énorme clou dont la tête a la forme d'un gland. C'est le double symbole de l'accès des femmes aux métiers traditionnellement occupés par les hommes et de l'écrasement (douloureux merci) de la phallocratie.

Cette statue a tellement de succès que le gouvernement songe à en commander une copie en bronze qu'on installerait sur les plaines d'Abraham, juste là où débouche le sentier emprunté par les troupes de James Wolfe en 1759. Ce serait une façon d'indiquer au monde entier qu'au Québec, les acquis féministes ne sont pas négociables. Et que toute attaque à la souveraineté du Québec sera repoussée sans pitié par les éléments les plus dynamiques de la nation.

À l'ombre de ce char, roule celui de la communauté homosexuelle. S'y pavane une troupe de gais éphèbes dont les membres adoptent toute la palette des poses sexuelles : de la minauderie la plus affectée au machisme le plus poilu. Hormis quelques enfants qui semblent un peu perdus à la vue de ce spectacle insolite, la foule qui se tasse sur les trottoirs de la rue Sherbrooke crie son approbation.

Avant la fermeture du cortège par un bataillon d'infanterie non motorisée de la toute nouvelle armée du Québec, ce sont aux chars du monde artistique et de l'artisanat renaissant de ravir les spectateurs sur place et les téléspectateurs qui ont voulu se contenter de la retransmission en direct du spectacle par Tél Québec.

Toutefois, malgré la mine réjouie des partic pants, on a l'impression que le coeur n'y est pas tout fait. Sous les sourires affichés, on sent une inqui tude, une incertitude. C'est comme si ce défilé d dixième anniversaire était en même temps un exercic incantatoire, une procession pour conjurer un ma heur indéfini. Le long cortège sert à mesurer se forces. Il veut rassurer sur la capacité du nouvea pays de venir à bout d'une cohorte de difficultés, que ques-unes prévues, de nombreuses pas.

Certes, personne n'irait jusqu'à dire que les c toyens québécois regrettent le choix qu'ils ont fait il a dix ans, mais un doute grandissant semble en trai de s'installer dans l'esprit de plus en plus de gens.

« Le jeu en valait-il la chandelle ? » Telle est l question incontournable qui nourrit le malaise actuel

II

La table à moitié vide

TEL QUE PRÉDIT PAR LE CHEF du Parti Québécois, le référendum avait porté sur le concept de souveraineté-association et non pas sur l'option d'indépendance totale et complète par rapport au reste du Canada. Les Québécois avaient donc dit « oui » à une souveraineté politique assortie d'une association économique avec le Canada anglais.

Après cette victoire et les célébrations d'usage, on s'était tourné vers le Canada anglais — maintenant appelé tout simplement « Canada » — pour entamer les pourparlers qui devaient mener à un contrat économique équitable entre les deux nations.

La partie québécoise savait exactement ce qu'elle voulait : conserver le statu quo dans les relations économiques. Cela impliquait le maintien, comme à l'époque maintenant révolue de la Confédération, de la libre circulation des biens, des services et de tous les facteurs de production comme le capital et la main-d'oeuvre.

La délégation du Québec était prête — on le comprendra, sans tambour ni trompette — à faire une concession sur la monnaie. Le Québec allait continuer d'utiliser le dollar canadien, sans se formaliser du fait que cette devise serait maintenant libellée uniquement en anglais. Cette « concession » n'en était pas vraiment une car chacun savait que rien ne pouvait empêcher le nouveau pays d'emprunter ainsi la monnaie de son voisin, avec ou sans l'agrément du pays concerné.

Un scénario de rechange consistait à pirater le dollar US, la principale des quelques devises véritablement mondiales. Le Libéria et le Panama ne le font-ils pas ? Et en Europe, le Luxembourg n'utilise-t-il pas le franc belge et Saint-Marin la lire italienne ? (Quel plaisir de se retrouver enfin parmi la communauté des nations souveraines !) Le Président n'aimait pas qu'on le questionne sur l'impossibilité pour le Québec, dans une telle situation, d'avoir son mot à dire sur la politique monétaire. Il répondait que l'on compenserait la perte de ce puissant levier de politique économique par une plus judicieuse utilisation de la fiscalité.

Ça n'avait convaincu personne.

Autre concession de taille : le nouveau pays acceptait de prendre à sa charge le quart de l'énorme dette nationale du Canada, laquelle s'élevait à plus de 400 milliards de dollars au moment du référendum de 1993.

La délégation québécoise, les bras chargés de ce fardeau de 100 $ milliards, se présenta donc à Ottawa pour une première séance de négociation. Surprise et consternation : il n'y avait personne de l'autre côté de la table ! Les envoyés québécois chargés de mener à bien les pourparlers, pour la plupart des unilingues français qui avaient rarement voyagé au Canada anglais et n'avaient que peu de moyens de prendre le pouls de leurs voisins de l'est et de l'ouest, ces hommes et ces femmes étaient stupéfaits.

Mais pour quiconque vivait en contact avec le reste du pays qui formait alors le Canada, cette moitié vide de la table n'avait rien d'étonnant.

L'erreur capitale, pour les hommes politiques qui avaient concocté la notion de souveraineté-association, avait été à la fois de surestimer la capacité de cohésion du reste du Canada et de sous-estimer la place qu'occupait le Québec dans l'ensemble canadien, cela tout en sous-évaluant le pouvoir d'attraction des États-Unis. Le problème en avait été un de mauvaise perception. En somme, un manque de réalisme.

Pour une bonne partie des élites politiques, artistiques et intellectuelles du Québec, le Canada anglais était constitué des descendants du général Wolfe. C'étaient donc pour eux des conquérants qui étaient venus en terre d'Amérique pour les battre militairement avant de les exploiter économiquement. L'une des preuves de cela, c'était que toutes les grandes corporations utilisaient l'anglais comme langue de travail.

Ces penseurs avaient négligé le fait historique que, dès le lendemain de la fatidique Conquête — par ailleurs autant une victoire des futurs Américains de la Nouvelle-Angleterre que des Anglais proprement dits —, le destin du Québec était entré dans l'orbite de celui des États-Unis.

Ces aventuriers politiques avaient oublié que, à peine quinze ans après la prise de Québec, les Continentaux se lançaient dans une guerre d'indépendance avec comme but ultime de botter les Britanniques hors de l'Amérique du Nord, de *toute* l'Amérique du Nord.

C'est pour garder le Canada sous la férule britannique que l'occupant militaire, sous le commandement de Murray d'abord, de Carleton ensuite, ne changea rien à l'ordre sociales et religieux en Nouvelle France. Agir autrement aurait été inviter les habitants canadiens français à se rebeller contre les quelques centaines de tuniques rouges qui constituaient les forces d'occupation et à accueillir à bras ouverts les troupes continentales américaines venues les « libérer ».

Aussi, en 1775, ce sont des soldats de la métropole et des miliciens canadiens français qui refouleront les armées yankees. Les marchands anglais de Montréal considéraient déjà l'annexion aux États-Unis, suite à l'occupation de la ville par les envahisseurs venus du Sud, comme un fait accompli.

Très rapidement, le véritable moteur du développement du Canada s'avéra être les États-Unis. Devant les vagues successives d'immigrants venus d'Irlande, d'Écosse, puis d'Europe méridionale, centrale et de l'Est, les Anglais de souche se trouvèrent bientôt placés en situation de minorité. D'abord dominants du fait de leur filiation à la puissance victorieuse, les Canadiens anglais devinrent les gérants d'une industrialisation qui prenait sa source au sud du 49e parallèle.

Si les Américains avaient parlé portugais ou les Anglais le hongrois, jamais ces derniers n'auraient réussi à acquérir l'ascendant économique qu'ils ont aujourd'hui. La richesse du Canadien anglais, c'est d'abord une richesse de gérance.

L'erreur de trop d'hommes politiques canadiens français aura été de confondre le patron et le gérant. Sans doute pour la simple raison que les deux parlent la même langue.

Ça, c'est dans un premier temps. À partir de la dernière guerre mondiale, la plupart des immigrants vinrent de pays qui n'avaient ni l'anglais ni le français comme langue maternelle. La majorité de ces nouveaux venus se sont retrouvés au Canada par deuxième choix. À Varsovie et à Port of Spain, ils avaient d'abord rempli des papiers d'immigration vers les États-Unis, mais après quelques années d'attente, ils s'étaient rabattus sur le Canada pour quitter leurs terres de misère. Ce pays au climat rigoureux était certes moins attrayant, mais il offrait l'insigne avantage d'être plus ouvert aux nouveaux venus.

Et au Canada, on est tout de même en Amérique. *A land of opportunity* où l'on parle la même langue que les maîtres du monde. L'anglais, pour ces Canadiens de nouvelle souche, donc, représente le véhicule linguistique qui leur permet : 1) de se comprendre entre eux, 2) d'accrocher leur wagon à la première locomotive culturelle et technologique du monde, 3) de rêver d'utiliser un jour le tremplin canadien pour plonger dans la vraie piscine.

Pour eux, le statut particulier accordé au français et à ses locuteurs constitue une sorte d'anomalie qu'il serait malséant, pour des invités de passage dans la demeure, de contester.

On comprendra tout de suite que ce ne sont pas ces Néo-Canadiens qui se sont battus avec le plus de ferveur pour garder le Québec dans la Confédération canadienne. Très mobiles, pourrions-nous dire par nature, la plupart d'entre eux étaient prêts à déménager leurs pénates au Texas ou en Virginie à la première occasion.

Pour les francophones du Québec, une société très homogène s'il en est, les Canadiens anglais étaient perçus comme un groupe homogène eux aussi qui, après la Conquête, s'était donné comme mission de les dominer. D'où cette référence complètement abusive au concept de liberté, qu'exploitèrent des poètes en mal de romantisme qui voulaient absolument assimiler leur causette politique aux derniers grands mouvements mondiaux de décolonisation et de libération nationale.

Petite digression-détente pour relater un échange intervenu en 1990 entre une concurrente québécoise de la COURSE EUROPE-ASIE et un étudiant kurde d'Iraq :

Concurrente — Vous savez, chez nous aussi au Québec, il y a un grand mouvement d'indépendance nationale.

Kurde — C'est vrai ? Vous aussi, vous vivez sous le joug d'une puissance d'occupation qui étouffe votre éclosion nationale ?

C. — Pas tout à fait ; c'est une situation très complexe. D'abord, il y a le gouvernement fédéral qui...

K. — Ce gouvernement vous persécute et vous punit si vous osez parler votre langue maternelle ?

C. — Non, mais...

K. — Il vous interdit de pratiquer votre religion ?

C. — Non, mais...

K. — Il s'empare de vos terres pour les remettre à des colons de sa propre ethnie ?

C. — Non, mais...

K. — Vous empêche-t-il de vous épanouir culturellement, de vous développer économiquement et de pratiquer le commerce ? Ferme-t-il la fonction publique à votre groupe national ?

C. — Non, mais...

K. — Mais alors, c'est quoi votre problème ?

C. — Euh, ... c'est très compliqué, vous savez,
... la Confédération...

Or donc, pour une bonne partie des Québécois,
l'accession à l'indépendance politique représentait la
« libération ». Libération d'une vague tutelle anglaise
qui se cristallisait à Ottawa et à Toronto. En plus d'ê-
tre complètement mal perçu dans ses intentions, le
Canada anglais était confondu à l'Ontario.

Avec le recul, il peut paraître inconcevable que
des gens aient mis dans le même sac des régions aussi
différentes que les plaines sous-peuplées mais gorgées
de pétrole de l'Alberta, la péninsule luxuriante du
Niagara et les baies poissonneuses d'une terre de
roches comme Terre-Neuve. Mais le besoin bien humain de réduire et de simplifier des réalités complexes
pour se donner l'impression de bien les saisir joua ici
comme ailleurs.

Le Québec de la Baie-James, de la Manicouagan,
des Jeux olympiques, des CLSC, des commissions politiques de toutes sortes et du regard intense qu'il porte
sur son nombril à travers ses téléromans, ce Québec-
là ne pouvait pas s'imaginer que le Canada anglais
n'entretienne pas un projet unique de société. Il avait
beau se faire dire et redire que, vu de la côte du Pacifique et des Maritimes, le pouvoir dans ce pays résidait
définitivement au centre (Québec et Ontario) ; son incapacité à le vérifier et son manque de curiosité l'empêchaient de se dessiller les yeux.

Depuis quand, d'ailleurs, un sujet fraîchement af-
franchi devrait-il se soucier du sort de son ancien
maître ? Que les Anglais aient de la cohésion ou non,
qu'ils aient un projet unique et défini de société ou

non, qu'ils aient trop emprunté des Américains pou ne pas se fondre avec eux après le départ des Québé cois ou non, tout cela n'était pas l'affaire de ce peupl enfin libéré de son « joug ». La jeune nation était tro occupée à prendre son envol pour s'inquiéter du sor du nid inconfortable qu'elle quittait enfin.

C'est la version collective du comportemen « après moi le déluge ».

III

La course au 51e État

TOUT LE MONDE LE SAIT, le Canada n'a été créé ni pour, ni par les Canadiens. Le 49e parallèle est la ligne de défense érigée en 1867 par les autorités britanniques pour éviter que l'ensemble de l'Amérique du Nord ne leur échappe.

C'est le début de l'explication de l'énorme problème d'identité qu'ont à vivre les Canadiens anglais. Quand on demande à l'un d'eux de se définir, il répond par la négative : « I'm not a Yank, nor am I a Brit. » « Mais qui êtes-vous donc ? », demanderez-vous en vain, car votre interlocuteur n'a rien à offrir qui le démarque vraiment de son unique voisin.

Bien sûr, il y a toujours le fait que le Canada est un pays moins violent, mais il y a quelque chose de pas très rigoureux à comparer Vancouver à Los Angeles et Windsor à Détroit. Si vous continuez d'insister, on vous définira le Canada par la générosité et l'équité de ses programmes sociaux. C'est bien joli, mais on ne bâtit pas un pays là-dessus !

En fait, c'est par le Québec que le Canada anglais se caractérise et se différencie des États-Unis — ce qui est la même chose. Le Canada, ce n'est pas les États-Unis parce que les Canadiens français ont une culture propre véhiculée par une langue qui n'est pas l'anglais. Le Canadien anglais n'est pas américain parce qu'il appartient à un pays qui pratique un bilinguisme offi-

ciel et reconnaît ainsi l'importance d'une culture qu
se démarque un peu plus de la culture yankee.

Que les habitants d'origine française aient été le
premiers Canadiens — ou « Canayens » — est encor
illustré par les deux principaux symboles nationaux
le *Ô Canada* et le drapeau unifolié. Il n'est peut-êtr
pas inutile de rappeler que ce sont deux Canadien
français qui sont les auteurs de l'hymne national *Ô*
Canada. Calixa Lavallée a composé la musique e
Adolphe-Basile Routhier a écrit les paroles du chan
patriotique, entonné pour la première fois par la foul
le 24 juin 1880 sur les plaines d'Abraham de Québec
Il a fallu attendre vingt ans pour qu'une version an
glaise se fasse entendre au Canada anglais.

Pour ce qui est du drapeau à feuille d'érable, il es
évident que sans les Québécois le Canada utiliserai
encore le *Red Ensign* comme pavillon de ralliement
Que la région des Bois-Francs, au coeur du Québec
soit le fief de l'érable n'est que normal : c'est la récom
pense de l'initiative. Que la même région, plus préci
sément la petite ville de Warwick, soit également l
patrie de la célèbre poutine relève de la plus savou
reuse ironie.

Le voyageur soucieux du bon état de ses artère
dirigera son intérêt vers une autre institution que l
monde entier associe au Canada : sa Police montée
ou Gendarmerie royale. N'est-il pas révélateur que l
devise du seul corps policier canadien d'envergure na
tionale (dans le sens de « *D'un océan à l'autre* ») n
soit affichée qu'en français : « *Maintiens le droit* » ?

Le Canada anglais s'est vite retrouvé dans la trè
curieuse situation de se définir à travers quelqu'u
d'autre. Ce n'est ni glorieux ni habile, mais compte te
nu des origines de la Confédération et du type de peu

plement qui a suivi (le Canada souvent deuxième choix après les États-Unis), cet état de fait était sans doute inévitable.

Ça, c'était avant le référendum de 1993 qui a dit au reste des Canadiens que les Québécois voulaient le divorce.

Pour le Québec, ce divorce signifiait une complète prise en main de sa destinée — c'est du moins comme ça qu'il fut vendu. Pour le reste du Canada, il a signifié la fin de son existence en tant qu'entité politique et économique différente des États-Unis d'Amérique.

Voyons d'abord la géographie et la démographie. Si l'on pondère la superficie de chacune des anciennes provinces par sa population, il saute aux yeux que le duo Québec-Ontario représentait le centre de gravité de l'ensemble canadien. En soustrayant l'une de ces deux composantes, en l'occurrence le Québec, on a créé un énorme trou dans une structure politique déjà fragile. Le drame, pour le Canada, c'est que ce vide béant se trouve justement en son centre.

En se séparant, non seulement le Québec a-t-il scindé le Canada en deux, mais il a enfoncé comme un coin son pays entre les deux parties restantes. Une contrée séparée en son milieu par un autre pays, ça n'existe pas longtemps sur la planète des hommes (l'ex-Pakistan oriental en est une preuve).

Il y a pire. Nous avons vu plus haut que le Canada anglais s'était toujours défini par le Québec. En rassemblant ses pénates, ce partenaire est parti avec la cuisine et le salon. Il reste bien plusieurs grandes chambres à coucher, mais en plus d'être à demi vides, leurs portes donnent sur un long corridor sans âme.

Séparée par la chaîne des Rocheuses dont s'est moqué plus d'un nationaliste québécois, la Colombie-

Britannique a été la première province du nouveau Canada rapetissé d'un quart à demander son adhésion aux É.-U. Las des chicanes de familles des gens de l'Est, la côte ouest canadienne a décidé d'arrimer son destin à celui des dynamiques pays du bassin du Pacifique. Le nouveau cap a été pris il y a deux ans, c'est-à-dire à peine huit ans après que le Québec eut largué les amarres.

À l'annonce de ce choix, les dirigeants politiques de la Colombie-Britannique furent vilipendés par toute la classe politique canadienne, d'Edmonton à Saint-Jean de Terre-Neuve. Mais à mesure que des journaux new-yorkais publiaient des informations tendant à démontrer que la Nouvelle-Écosse et l'Alberta avaient elles aussi fait des approches similaires auprès de Washington, la dénonciation réciproque s'est transformée en course à l'annexion.

Tout ceci au grand embarras des Américains, lesquels répugnent à doubler la surface de leur pays. À l'ère de l'après-effritement de l'URSS et un demi-siècle après l'enterrement des impérialismes, les États-Unis ne veulent absolument pas être perçus comme une puissance annexionniste.

Mais au train où vont les choses, la surenchère économique aura bientôt raison de ces scrupules politiques. La Colombie-Britannique promet de démanteler ses puissants syndicats et fait valoir qu'une fois rattachée aux États-Unis, la continuité de la côte ouest américaine sera assurée des Aléoutiennes à la Baja California.

L'Alberta, pour sa part, s'offre dans un baril de pétrole. Déjà surnommée Texas North, cette province est d'ores et déjà la vassale du Lone Star State. Le coup de grâce fut assené quand un consortium de Dallas acheta Pétro-Canada.

La Nouvelle-Écosse, elle, propose en dot le golfe du Saint-Laurent. Aux armateurs bostonnais et new-yorkais qui n'aiment pas voir une partie de la Voie maritime traverser un Québec maintenant plus volatile, la plus riche des provinces atlantiques offre une vue imprenable sur l'embouchure du majestueux fleuve.

Malgré sa finesse, cet argument de vente n'excite pas le Congrès outre-mesure. Les sénateurs et les représentants savent maintenant qu'il n'est pas nécessaire d'avoir une emprise territoriale directe pour exercer sa volonté. C'est qu'il y a cinq ans, quand des écervelés ont bloqué l'écluse de Beauharnois pour protester contre le rejet par Wall Street d'un emprunt de l'Hydro, le vol en rase-mottes au-dessus de Montréal d'une cinquantaine de chasseurs-bombardiers F-16 venus de Plattsburgh a suffi pour calmer les esprits. (On raconte que dès le lendemain matin, l'escouade anti-émeute de la Sûreté du Québec « nettoyait » l'écluse d'une façon que la presse qualifia alors de « virile » — l'euphémisme de l'année.)

IV

La fin du Canada

DÈS SA NAISSANCE, le Canada comme entité politique différente des États-Unis avait été le fruit d'un acte de foi. Tout, en effet, commandait que l'ensemble de l'Amérique du Nord ne forme qu'un seul et même pays : même peuplement (immigrants européens et Amérindiens), même langue (sauf pour le Canada français), continuité géographique, même conception des rapports entre les gouvernements et leurs commettants, mêmes aspirations des citoyens (en bonne place, le bonheur matériel), mêmes religions (principalement chrétiennes), mêmes valeurs morales et sociale ou à peu près, et ainsi de suite.

Le Canada avait littéralement été donné à ses colons. Et chacun sait que ce qui nous est donné est perçu comme ayant moins de valeur que ce que nous devons payer. En fait, jusqu'à un certain point, un bien ou un état (la santé ou la démocratie, par exemple) est d'autant plus apprécié qu'on a versé un prix élevé pour son acquisition. Il y avait bien les Canadiens français, dont les ancêtres avaient dû subir les rigueurs du climat, se battre contre certains Indiens premiers occupants, ainsi qu'affronter les soldats anglo-américains, mais ce sang avait été versé à l'époque lointaine de la Nouvelle-France. Hélas, pour trop de Canadiens anglais et de néo-Canadiens, l'histoire de leur contrée commençait beaucoup plus tard, autour de la formation de la Confédération.

Cela ne veut pas dire que les Canadiens n'appréciaient pas leur pays. Mais ils n'étaient pas habités par cette passion qui naît souvent d'une conquête coûteuse. Pour eux, le patriotisme était l'apanage des Yankees et des Argentins au sang chaud.

Las de leurs incessantes récriminations, ils finirent par rétorquer : « Laissez-les partir ; on se débrouillera mieux sans eux », quand les Québécois avaient majoritairement décidé de quitter le cadre confédéral. Ce faisant, ces « Canadians » avaient infiniment surestimé leur force de cohésion.

Compte tenu de la perte anticipée d'une province atlantique et des deux provinces de l'extrême Ouest, le Canada se résume maintenant à l'Ontario et au Manitoba. C'est que le Nouveau-Brunswick (maintenant unilingue anglais) est désemparé et l'Île-du-Prince-Édouard, de même que Terre-Neuve et la Saskatchewan, demeurent des quantités négligeables. Cela n'empêche pas toute une classe politique ontarienne de clamer bien haut que, même amputé des deux tiers de son territoire et séparé en deux (par le Québec), le Canada réduit demeure une entité viable aux points de vue politique et économique. Cette profession de foi sonne toutefois un peu faux depuis qu'un journal torontois a publié les photos de deux ministres en train de remplir les coffres de leurs voitures de marchandises achetées à Buffalo, New York.

Ce magasinage outre-frontière est devenu un véritable phénomène au début des années 90, quand l'instauration de la TPS fédérale a subitement rendu les produits américains sensiblement meilleur marché que leurs copies canadiennes. En 1991, un Montréalais sur cinq dépensait 600 $ en achats de toutes sortes aux États-Unis.

Le Traité de libre-échange passé entre le Canada, le Mexique et les États-Unis n'a pas aidé les choses pour l'entité canadienne. En théorie, cet accord commercial devait permettre à chacun de ses trois signataires de profiter à fond de ses avantages respectifs. En pratique, c'est exactement ce qui s'est produit : le Mexique attire les industries à haute intensité de travail non-spécialisé ; le Canada affermit sa tradition de pourvoyeur de matières premières ; les États-Unis prennent le reste, *tout le reste.*

Maintenant que les droits de douane ne sont plus là pour protéger l'industrie ontarienne, ses entreprises rationalisent leurs opérations en concentrant la fabrication là où les coûts de production sont moins élevés, et là où se trouve rassemblée la masse des consommateurs : au sud du 49e parallèle et au-delà du Rio Grande.

Les Japonais viennent de faire une offre pour le parc national de Jasper : trois milliards de yens par mois pour l'usage exclusif du territoire. C'est aussi tentant qu'humiliant.

L'Ontario, qui s'est empressée de réaliser des économies budgétaires substantielles en mettant fin au bilinguisme quasi officiel, se bucolise à vue d'oeil. Ses usines ferment une à une faute de pouvoir s'appuyer sur un marché captif canadien, lequel compenserait leur compétitivité plus faible ; les campagnes se spécialisent de plus en plus dans l'agriculture biologique (tout de même marginale au plan économique) ; Toronto vit le déboum du marché immobilier. Phénomène nouveau et révélateur, la Ville Reine voit ses condos de luxe et ses vénérables résidences victoriennes achetés à rabais par des rentiers américains à la recherche de quiétude urbaine : Toronto est en passe de devenir la Phoenix (Arizona) du Nord.

Il faut dire que cette situation ne va pas sans ravir certains lobbies écologistes dont les membres sont eux-mêmes rentiers. Mais pour les jeunes diplômés obligés d'immigrer au Sud, c'est autre chose.

Cette logique de la spécialisation qu'entraîne le libre-échange n'a pas que des inconvénients. Si l'appareil économique canadien s'effrite rapidement, les membres constitutifs les plus dynamiques de ce corps moribond, eux, profitent d'un territoire deux fois plus vaste géographiquement et onze fois plus riche d'opportunités économiques pour s'épanouir pleinement. C'est qu'il est maintenant infiniment plus facile pour un technicien spécialisé canadien d'obtenir une *Green Card*. Enfin, très peu de gens regrettent l'étrange statut d'Américains sans droit de vote qui était un peu le lot de tous les Canadiens.

Et quand on demande à ces anciens Canucks s'ils ont la nostalgie de l'Ontario ou du Manitoba, la plupart répondent que la vie en Georgie ou en Pennsylvanie est loin de représenter un calvaire. On les comprend : la douzaine de millions de Franco-Américains échangeraient-ils leur coin de Californie, de Louisiane, de Floride ou du Rhode Island pour le privilège de vivre en français ? Il faut croire que non, car aux dernières nouvelles bien peu d'entre eux avaient acheté leur billet de retour. Quant à l'hiver glacial, les quelques originaux qui en ont absolument besoin peuvent toujours aller se faire geler en Alaska !

Pour les jeunes qui rêvaient de carrières non conventionnelles (navigateur dans un sous-marin nucléaire, espion de la C.I.A., spécialiste des moteurs à hydrogène liquide, généticien de pointe, artisan des effets spéciaux au cinéma, chimiste chez Polaroïd, agronome spécialisé dans les agrumes, etc.), l'ouverture de l'espace américain est encore trop lente. En fait, dans les petites villes ontariennes, de nombreux bureaux d'avocat vivent maintenant du conseil à l'immigration au Sud.

Après deux siècles et demi de tâtonnements et de recherche d'une identité propre, le Canada anglais a enfin trouvé sa vocation : être l'arrière-cour, côté nord, des États-Unis. Encore ici, la géographie et l'économie ont eu raison du politique. L'entité artificielle canadienne, parce qu'elle n'avait aucune vocation naturelle endogène et forte, est entrée en agonie le jour où le Québec l'a quittée. Le jour où le Québec, en la coupant en deux, a vidé de son sens sa devise : *A Mari Usque Ad Mare.*

Autrement dit, l'éclosion de la société distincte québécoise a tué la société indistincte canadienne.

V

Le Québec sans tampon

NOUS L'AVONS VU, quand, en 1775, les Yankees ont entrepris de chasser complètement les Britanniques de l'Amérique du Nord, ce sont les Canadiens français qui, dans une large mesure, les en ont empêchés. En défendant la vieille capitale fortifiée de Québec, les habitants canadiens ont annulé la prise (par ailleurs facile) de Montréal.

Ainsi, les Canadiens français d'alors ont dit « non » à l'émancipation politique et à l'idéal républicain pour demeurer de loyaux sujets de Sa Majesté britannique. Ce choix politique, fait à peine quinze ans après la Conquête, est difficilement explicable aujourd'hui. On a beau faire appel au pacte aristocratique et à la veulerie des élites d'alors, l'esprit n'est pas pour autant entièrement satisfait.

L'élément explicatif manquant, ce pourrait être l'extrême prudence de l'habitant qui préféra un occupant connu et somme toute raisonnable à un partenaire inconnu et impétueux. C'est comme si la force d'inertie avait eu raison de la soif de liberté.

C'est aussi comme si le cultivateur canadien français avait été effrayé par le dynamisme et l'allant de ces anglophones du Sud. Avec les Anglais au moins, il savait à qui il avait affaire. Avec les Yankees, ... point d'interrogation.

L'habitant canayen a peut-être alors compris qu'en faisant alliance avec un autre groupe qui refusait lui aussi le plein destin américain — groupe renforcé plus tard par les Loyalistes — il pourrait plus facilement évoluer dans une direction originale. Deux groupes très différents, parce qu'ils avaient tous les deux répondu par la négative à l'appel de la démocratie et à l'offre d'affranchissement, se sont ainsi retrouvés alliés par strict intérêt politique. C'est le début de l'inconfortable mariage de raison.

D'une certaine façon, on peut dire qu'à partir de la retraite du général Benedict Arnold devant Québec, les Canadiens anglais ont utilisé les Canadiens français comme rempart à l'américanisation... et vice versa.

Nous avons vu plus haut comment le Québec définissait le Canada. En retour, le Canada anglais a toujours servi de tampon entre le Canada français et les États-Unis. La culture yankee passait par le canal — et filtre — du Canada avant d'atteindre le Québec. La technologie « Made in USA » a le plus souvent utilisé la gérance canadienne anglaise pour investir le Québec. Et personne ne niera que le passage à travers le Montréal très WASP jusqu'à la dernière guerre et la prude Ontario avait de quoi diluer les moeurs américaines.

Le bilinguisme, maintenant. Aux yeux de la plupart des Canadiens anglais, le bilinguisme officiel représentait une partie du prix qu'il fallait payer pour maintenir l'identité canadienne. Pour la majorité des Québécois, la présence intime de la langue anglaise leur permettait de prendre contact avec « America ». Pour plusieurs de leurs dirigeants, cependant, ce bilinguisme était le premier pas vers l'assimilation.

Par aveuglement moins que par malhonnêteté intellectuelle, les idéologues indépendantistes ne cessaient de comparer le traitement réservé au français dans le reste du Canada à celui fait à l'anglais au Québec. Comme si l'ancienne métropole économique, industrielle et commerciale qu'était Montréal, jusqu'à l'exode de plusieurs dizaines de milliers d'Anglos dans les années 70, avait été érigée en français ! Comme si ces deux langues cousines avaient le même poids en Amérique du Nord — et dans le monde ! Comme s'il existait, au Canada français, une technologie originale faisant contrepoids à la technologie américaine ! Comme si, dans la réalité vraie, loin des tours d'ivoire outremontaines et saint-fidéennes, un unilingue français pouvait gagner sa vie aussi facilement qu'un unilingue anglais, en terre d'Amérique !

Mettre, par fiction politique, les deux langues sur un pied d'égalité illustrait bien le degré d'hypocrisie pouvant être atteint par un certain nationalisme borné. Manipuler la notion de majorité en redéfinissant les bases de calcul au gré des objectifs de l'argumentation avait une odeur de sorcellerie intellectuelle. Ça faisait rire même plusieurs Français de France qui rappelaient qu'à la limite, si on devait ne se fier qu'aux nombres, le monde entier devrait se mettre à l'étude du mandarin.

Non ! Que les Québécois l'acceptent ou pas, c'est par calcul politique que leur langue était reconnue officielle sur l'ensemble du territoire canadien (avant l'Indépendance).

Depuis le référendum par lequel il a dit « oui » à la souveraineté-association, le Québec est unilingue français et le Canada est unilingue anglais. Comme le dit le Président fondateur du Québec, « la plaisanterie avait assez duré ».

Pour ce qui est du million de francophones hors Québec (parmi eux, 300 000 Québécois d'origine travaillant et vivant en Ontario), aux dernières nouvelles la plupart avaient accepté la louisianisation de leur langue. Entre quitter un emploi bien rémunéré sur une terre qui les a vus grandir — et, bien souvent, leurs ancêtres avant eux — et le retour au Québec, le choix a été relativement facile. À cette nuance près que plusieurs d'entre eux s'estiment maintenant trahis par leurs frères québécois. Ils n'avalent pas d'avoir été considérés comme quantité négligeable dans la décision québécoise. Les plus amers tracent même un parallèle entre cet abandon et le non-retour des navires français après la défaite de Moncalm.

Quant au million de Québécois anglophones, une bonne moitié (parmi les plus jeunes, les plus instruits, les plus entreprenants, les plus riches, donc les plus mobiles) ont quitté le nouveau pays dans les cinq ans qui ont suivi sa naissance. (Qui disait que les deux moteurs de l'économie ontarienne des années quatre-vingts avaient été l'industrie automobile et le séparatisme québécois ?)

Sans les francophones hors Québec pour assurer sa présence dans l'ensemble du Canada, sans les Anglos du West Island et de l'Estrie pour lui donner le pouls immédiat de l'Amérique, sans le reste du Canada pour servir de tampon entre lui et les États-Unis, le Québec se frotte maintenant directement au vrai *boss* du continent — et, pour encore plusieurs décennies, de la planète entière.

Dans le discours de la grande majorité des leaders politiques québécois, ce contact direct ne devait pas représenter un défi insurmontable. Ne se plaisait-on pas à répéter que les Américains — pourrait-on dire par définition — étaient beaucoup plus sympathiques que les Canadiens anglais ? À entendre nos chefs, c'étaient des gens généreux qui entretenaient une affection particulière pour les premiers habitants de la Nouvelle-France, cousins du Marquis de La Fayette.

Ces bons sentiments n'étaient-ils pas confirmés sur les plages du Maine et de la Floride, là où tant d'hommes politiques de chez nous prenaient leurs vacances ?

Nous avions de surcroît, nous disait-on, une carte maîtresse dans nos rapports avec les États-Unis : l'hydro-électricité. Dans la mythologie populaire, si les Yankees voulaient que New York continue d'être éclairée et Atlanta climatisée, ils avaient avantage à montrer patte blanche au Québec, ce maître — malgré le contentieux autochtone toujours pas réglé — de la Baie-James.

Le Québec grand réservoir de bois, d'eau douce et d'autres richesses naturelles indispensables, pensait-on dans les tavernes de Sherbrooke à Chicoutimi, se trouvait en excellente position pour négocier d'égal à égal avec l'Oncle Sam.

L'atterrissage sur la planète Terre fut brutal.

VI

L'Uruguay du nord

AVANT L'INDÉPENDANCE, quand l'ensemble du Canada négociait avec les États-Unis, que ce soit sur la dépollution des Grands-Lacs, les pluies acides, le Pacte de l'automobile ou le commerce de la viande de porc, le rapport de force était de un à dix à l'avantage des États-Unis. C'était peu. Maintenant que le Québec se retrouve face à face avec le géant américain encore agrandi de quelques débris du Canada, le rapport est de un à 50. Ce n'est pas rien !

Placés dans une telle situation d'infériorité numérique, les Québécois sont en train de développer beaucoup d'empathie pour les républiques de bananes d'Amérique latine. Comme les citoyens de ces autres petits pays, ils apprennent à leurs dépens que devant un interlocuteur cinquante foisplus gros, on ne négocie pas, on obtempère. Washington *speaks*, Québec *obliges*. Tel est *the name of the game* dans les jeunes relations Québec-Washington.

Aujourd'hui, avec le recul de dix ans d'Indépendance, on se demande comment des leaders politiques supposément éclairés ont pu penser qu'il pourrait en être autrement. C'est à croire qu'à force de faire partie d'une puissance moyenne dont la stature internationale était elle-même démesurée par rapport à ses poids économique et démographique, les Québécois avaient tenu pour acquis ce rôle moyen sur la scène du monde.

Quand les producteurs de pommes de terre et les manufacturiers de meubles voulaient faire entendre leurs voix, Ottawa leur servait d'amplificateur. Une fois débranchés du porte-voix canadien, le concert cacophonique des tribunes internationales leur semblait soudain plus bruyant. Il fallait maintenant crier infiniment plus fort pour s'y faire reconnaître. Ou n'était-ce pas plutôt que notre voix était devenue beaucoup plus faible ?

L'importance et l'influence d'un pays dépendent d'une foule de facteurs : sa richesse globale, sa population, sa situation géographique, la nature de son peuplement, le niveau d'éducation de ses habitants, la quantité et la nature de ses matières premières, son histoire, ses voisins, ses partenaires et ses alliés, son régime politique, la nature de ses principales productions, sa langue, son climat, la variété de ses écosystèmes, l'hospitalité relative de son environnement, le type de maladies endémiques qui le frappent, le niveau de santé de ses habitants, leurs religions, leurs attitudes devant la science, leur esprit communautaire, leur sens du civisme et ainsi de suite.

Avant le grand matin de l'Indépendance, plusieurs intellectuels séparatistes, dans leurs exercices de prospective sur la viabilité d'une entité économique et politique comme le Québec, invitaient leurs disciples à tomber dans le piège béant des comparaisons boiteuses. Leurs termes de référence de prédilection étaient la Suède et la Suisse. C'était habile : ce sont là deux pays extrêmement riches et développés qui font l'envie du monde entier.

Considérons d'abord la Suède. Avec une population analogue, le même type de donne en richesses naturelles, une surface véritablement habitable et un climat qui sont comparables, le leader mondial du design industriel constituait le terme de comparaison privilégié des chantres de l'Indépendance. « Si la Suède a pu développer un modèle original de développement, pourquoi le Québec ne le pourrait-il pas ? » se plaisaient-ils à répéter.

Bien évidemment, pour s'appuyer sur le cas suédois, il faut oublier l'histoire et ne pas regarder un globe terrestre. Le très prospère royaume actuel de Suède est en bonne partie le produit d'une longue histoire de conquêtes qui ont amené ses armées de soldats blonds à travers la Russie jusqu'à Byzance. Après avoir transformé la Baltique en lac suédois, ce pays a pratiquement colonisé la Norvège et la Finlande. La Suède, c'est l'homme fort de la Scandinavie, elle-même un bloc européen très puissant.

Dès les tout débuts de la révolution industrielle, un minerai de fer d'une très haute teneur a assis le développement d'une sidérurgie de très grande qualité. Tout le monde connaît Ikea, Volvo et Electrolux (quand mon oncle Gérard en vendait de porte à porte, je croyais que ces balayeuses étaient un produit typiquement québécois). Les férus de technique s'extasient devant Saab-Scania (lequel a imposé le moteur turbo et fabrique aussi bien des chasseurs-bombardiers que des voitures et des camions qui sillonnent les routes de toute l'Europe).

Si nous restons en Scandinavie, Norsk Hydro, déjà le premier fabricant d'eau lourde pendant la Deuxième Guerre mondiale, est un énorme conglomérat norvégien bien connu à Bécancour, P.Q. Les bâtons de hockey Titan sont maintenant fabriqués par Koho, une firme finlandaise. Alors que Volvo assemble certains de ses modèles à Halifax, on ne connaît pas de réciproque.

En termes géographiques, la Suède est au centre de la Scandinavie qui, elle-même, forme un ensemble relativement homogène et différent à la fois des îles britanniques et des pays germaniques.

Une dernière remarque sur la Suède : l'anglais y est parlé couramment par pratiquement tout le monde.

Passons maintenant à la Suisse. Ce pays sept fois centenaire, souvent présenté comme un modèle de démocratie directe, rassemble à l'intérieur de ses frontières trois des plus importants groupes linguistiques de l'Europe continentale : l'allemand, le français et l'italien (plus le romanche). Chacun de ces groupes vit dans des cantons qui sont contigus au pays qui parle cette langue. La Suisse romande, par exemple, est adossée au Jura français. À part le très marginal et isolé romanche, parlé seulement dans le canton des Grisons, il n'y a pas de langue proprement suisse (bien qu'il y ait un patois suisse-allemand).

L'atlas indique que la Suisse existe, en tant qu'entité indépendante de ses puissants voisins, autant par le bon vouloir de ces derniers que par l'omniprésence des montagnes. La Confédération helvétique prospère au coeur de l'Europe parce que d'innombrables Européens ont besoin qu'elle subsiste. Depuis Napoléon, personne n'a osé l'attaquer, et ce en bonne partie parce que la conquête de ses montagnes s'avérerait une opération des plus coûteuses (les soldats suisses ont tellement bonne réputation que le mercenariat fait encore vivre les familles des gardes du Pape).

Nul n'ignore que l'une des sources de la prodigieuse richesse suisse découle de son rôle traditionnel d'abri fiscal. Les capitaux déposés dans les comptes anonymes à Zurich et Genève facilitèrent le développement d'industries à très forte capitalisation : machines-outils de haute précision, laboratoires pharmaceutiques, etc.

Comme la Suède, la Suisse est depuis longtemps synonyme de qualité dans les produits haut de gamme. À un point tel que ces deux noms de pays sont des images de marque en soi. Malheureusement, on ne connaît pas d'équivalent québécois — ou canadien — au slogan suisse « Si c'est suisse, c'est bon ! »

De ce côté-ci de l'Atlantique, les Britanniques et, surtout, les Américains ont amené la révolution industrielle au Québec plus d'un siècle après le décollage économique de la Suède. La technologie québécoise, définie comme corpus de solutions originales à des problèmes techniques donnés, n'existe que dans le discours de certains démagogues. N'est-il pas humiliant de constater que le symbolique et astucieux Ski-Doo est mû par un moteur — la pièce centrale, le véritable coeur de la machine — fabriqué en... Autriche ? À cet égard, le Canada anglais n'est pas tellement en reste. Un exemple embarrassant parmi d'autres : les autobus articulés du réseau de transport en commun de la capitale canadienne sont de conception et de fabrication hongroise (marque Ikarus).

La principale originalité de la colonisation par l'habitant canadien français aura été qu'elle s'est faite contre le froid et les espaces vides, au Québec même, ainsi que dans le nord de l'Ontario et de l'Alberta et au Manitoba.

Le groupe linguistique francophone d'Amérique du Nord s'adosse à la France, aux dernières nouvelles toujours située de l'autre côté de l'Atlantique et au-delà des provinces maritimes canadiennes et de la partie nord-est des États-Unis.

Contrairement à la barrière des Alpes et autres chaînes de montagnes qui isolent magnifiquement la Suisse, la vallée du Saint-Laurent ouvre une porte d'entrée accueillante vers le coeur du continent nord-américain (à toute fin pratique anglophone). Le fleuve draine les Grands-Lacs, dont aucun n'est situé au Québec. Nul obstacle géographique majeur ne sépare le Québec de ses voisins du sud et de l'ouest. Bien au contraire : le large et paisible Richelieu prend sa source au lac Champlain (entièrement situé dans les états de New York et du Vermont, sauf pour la baie Missisquoi), la rivière Outaouais se franchit bien partout et la plaine de Montréal s'étale jusque loin en Ontario.

Chaque fois que le Québec a besoin d'argent — ça a commencé avec la nationalisation des compagnies d'électricité pour former l'Hydro-Québec —, il frappe à la porte de Wall Street, New York City, New York, USA. Dans ces conditions, on l'imagine mal servir de repaire pour l'argent *hot*. Washington ne laisserait pas faire.

Non. S'il fallait absolument faire des comparaisons, il aurait mieux valu utiliser la Zambie ou l'Uruguay. Cela aurait été moins flatteur, mais également moins boiteux.

Aujourd'hui, en 2003, la réalité toute crue du Québec par rapport à son tout-puissant voisin, c'est qu'il est devenu l'arrière-cour de la cour d'en arrière. Quantité négligeable et plus un irritant qu'un apport original à l'ensemble nord-américain, l'ancienne province canadienne doit suivre aveuglément ce que lui dicte la maison-mère. D'autant plus que de nombreux anciens Canadiens devenus yankees ne lui pardonnent pas d'avoir détruit leur pays natal.

Parce que personne n'a vraiment besoin de lui, personne ne lui fait de cadeau. À part l'amiante devenu maintenant aussi bienvenu sur les marchés internationaux qu'un sidéen dans un bain tourbillon, il n'existe que bien peu de produits essentiels pour lesquels le nouveau pays ait une exclusivité relative.

Pensons à la géographie : la formation du bouclier canadien, riche en minéraux de toutes sortes, recouvre autant le nord de l'Ontario et du Manitoba que celui du Québec. Les anciens ténors de la séparation ne l'avaient guère remarqué, étant plus préoccupés de l'exclusivité culturelle que de géologie.

L'agriculture moderne est plus l'affaire des économistes que des agronomes. Dans les conditions politiques actuelles, il est bien difficile de négocier des programmes de contrôle de l'offre. Le dumping des produits américains moins chers — l'avantage du climat — se pratique comme jamais auparavant, d'autant plus que le consommateur québécois, qui n'a jamais mordu bien fort aux campagnes d'achat chez nous, est toujours à la recherche du meilleur *deal* possible, *be it in English, in the States*, ou chez Eaton's (et tant pis si Dupuis Frères en est mort à la fin des années soixante).

Pour ce qui est des lacs aux eaux claires qui désaltèrent les corps et nourrissent les âmes, le Québec découvre avec stupeur qu'il n'en a pas le monopole. Encore ici, un coup d'oeil sur une carte de l'Amérique se révèle très instructif : à lui seul, l'Ontario (nom qui veut dire "eaux scintillantes" en langue iroquoise) renferme 250 000 lacs et cours d'eau.

Qu'à cela ne tienne, il y a toujours l'électricité. Ah, la fameuse électricité ! Ou plutôt l'hydro-électricité, car il y a plus d'une façon de générer du courant. Comme le Québec n'a ni charbon ni pétrole, il harnache ses rivières. Aussi complètement démuni en carburants fossiles, l'Ontario a depuis longtemps joué la carte du nucléaire en développant le très fiable réacteur CANDU (un *package* technologique qui se vend dans plusieurs pays).

Chacune des deux méthodes comporte des inconvénients. Les barrages inondent des terres et perturbent des ensembles écologiques entiers ; les centrales nucléaires posent l'épineux problème de la disposition des déchets radioactifs.

Cependant, au plan de la sophistication technologique, le barrage appartient au XIXe siècle, tandis que le domptage de l'atome représente l'un des plus grands exploits scientifiques de la deuxième moitié du XXe siècle. Avec le CANDU, les Ontariens ont réussi une percée mondiale dans un domaine de pointe. Avec les barrages, les Québécois sont devenus des champions barreurs d'eau. Et cela après que de minuscules groupes d'Amérindiens leur eurent soutiré des rentes faramineuses pour « perte de mode de vie traditionnel ». C'est l'amende à payer pour avoir mis tous nos oeufs dans le même panier de l'hydro-électricité.

Le courant, donc, le Québec n'en a pas le monopole. De l'électricité à bon marché non plus, puisque la multiplication des centrales nucléaires permet une certaine standardisation et, par voie de conséquence, des économies d'échelle substantielles. C'est la formule de l'EdF (Électricité de France) appliquée à l'Ontario.

Si nous n'avons ni monopole de l'électricité pas chère, ni agriculture super performante, ni métaux rares, ni industrie de pointe pour donner à notre nouvel État un certain poids dans ses rapports avec notre démesuré voisin, alors qu'avons-nous ?

De plus en plus de Québécois se le demandent. Et, ne trouvant pas de réponse, ils remarquent que l'appartenance à la République de Poutine offre bien peu d'avantages à Baptiste.

Mais elle en procure à d'autres.

VII

Les gagnants

LES PREMIERS GAGNANTS de l'Indépendance, ce sont les femmes et les hommes qui occupent les places politiques de choix qui furent créées en même temps que le nouveau pays : la présidence et ses dépendances, les ambassades et autres représentations de toutes sortes à l'étranger (de préférence en Europe), les ministères à vocation internationale, les directions des nouvelles firmes d'État, les postes clés des syndicats nationaux, etc. Ils profitent à plein du vieil adage « Vaut mieux être premier dans son village que second à Rome ».

Immédiatement derrière eux viennent les fonctionnaires de la culture « nationale ». Cela comprend naturellement les titulaires de postes de responsabilité dans les composantes de cette industrie si importante pour définir le Québec. Télé-Québec, par exemple, qui incorpore maintenant l'essentiel de ce qu'était Radio-Canada et la section française de l'Office national du film, a vu son déjà lourd organigramme de direction multiplié par quatre.

Même une bonne partie du milieu des affaires a trouvé son compte dans l'opération politique. Les industriels et les commerçants dont le territoire s'était toujours limité à la province jubilent. Pour les épauler, Québec s'est empressé d'ériger des barrières douanières qui tiennent à l'écart la méchante concurrence étrangère (entendons ontarienne, principalement). Et

quand le recours à ces barrières tarifaires n'est pas in
diqué (nous sommes tout de même à une époque d
promotion des échanges commerciaux), le nouveau
ministère québécois du Commerce extérieur fait appe
aux obstacles indirects : normes spécifiques, libellés
en français seulement, etc.

Le nouveau pays voit donc éclore avec bonheu
une classe d'entrepreneurs qui sont d'autant plus
loyaux au régime qu'ils sont sa création indirecte. Les
produits et services qui émanent de ces entreprises ne
sont peut-être pas de qualité internationale, mais ce
sont les nôtres. Quant à la question de savoir ce qu'i
adviendra le jour fatidique où il faudra se mesurer aux
autres équipes qui évoluent sur le terrain mondial, les
nouveaux capitalistes répondent qu'ils veulent être
tout à fait prêts pour la rencontre.

C'est précisément dans ce but qu'ils se prati
quent, qu'ils répètent, qu'ils bâtissent leurs forces
Tout cela aux frais de Baptiste consommateur.

Des esprits tordus font remarquer qu'il existe un
continent qui regorge de précédents peu rassurants de
ce modèle : l'Amérique du Sud. Là-bas, une petite
classe d'entrepreneurs s'enrichit tranquillement à l'a-
bri de barrières érigées par l'État protecteur. Que la
compétitivité de ces industries soit très basse à l'é-
chelle mondiale importe peu. La classe dirigeante
prospère tandis que les consommateurs payent des
prix élevés pour des biens de second ordre.

Que les travailleurs de ces usines soient ains
maintenus dans leur état de main-d'oeuvre de second
ou de troisième rang est également navrant. Ces ouvriers et techniciens se retrouvent les prisonniers d'activités économiques qui leur interdisent la mobilité
verticale. Leurs qualifications limitées, acquises et en-

tretenues dans des processus de fabrication désuets, les condamnent à des emplois moins rémunérés.

La classe laborieuse de l'Uruguay du nord a tout de même un prix de consolation : ses membres appartiennent au marché captif — *thanks to the French language* — d'un secteur culturel extrêmement dynamique. Maintenant que ce champ d'activités a été complètement rapatrié d'Ottawa, une véritable industrie culturelle est en train de prendre forme, moulée par des bureaucrates aussi puissants que visionnaires.

Reconnaissant dès le départ que la faible population du Québec ne lui permettait pas de se fier à la seule demande de son public pour entretenir des activités culturelles de haut calibre, le nouvel État est intervenu vigoureusement. Dans un premier temps, des technocrates spécialisés ont réussi à convaincre les instances politiques qu'il fallait faire des choix. « Compte tenu de l'étroitesse du marché national, on ne peut pas exceller dans tous les domaines », répètent maintenant en choeur ses représentants. En conséquence, une activité dispendieuse comme le cinéma — malgré l'immense prestige que les politiciens en tiraient — a été mise sur la glace. La vidéo haute définition, moins chère et disposant du canal naturel de la télévision pour rejoindre le public, est en passe de devenir le format marque de commerce du Québec.

Afin de rationaliser l'utilisation de ressources tout de même très limitées, les chaînes de télévision ne sont plus maintenant que deux. Mais deux bonnes : la télévision d'État (Télé-Québec) et un réseau privé.

Du côté de la radio, les payeurs de taxes font vivre trois réseaux : un AM pour l'information et le « placotage », un MF pour la musique classique et la culture d'élite et, enfin, un autre MF pour la musique populaire d'expression française.

Malgré ces initiatives louables, le championnat des cotes d'écoute de la radio appartient toujours à un réseau privé, avec tête de station à Montréal, qui ne diffuse que de la musique rock anglo-saxonne. C'est un peu gênant, mais l'existence de cet anachronisme est considéré comme partie du prix à payer pour démontrer son esprit de tolérance.

Du côté des arts d'interprétation, les planificateurs culturels ont également tablé sur la spécialisation. Le gros des subventions est maintenant dirigé vers la danse sous toutes ses formes. Art muet par excellence (et par conséquent facilement exportable dans toutes les langues), la danse amène maintenant plusieurs interprètes québécois dans tous les coins de l'Amérique.

En peinture et en sculpture, on essaie toujours de convaincre les quelques héritiers du Refus Global encore exilés volontaires en France de venir mourir en terre québécoise. Il semble que le rapatriement des vieux bonzes bute sur une question de *timing*. Des fonctionnaires ignorants des douceurs de la Côte d'Azur ont commis la gaffe de lancer publiquement l'invitation de retour au bercail au début du mois de décembre. On se promet bien, dorénavant, de n'émettre de tels appels qu'à la fin du printemps, quand la splendeur de la nature canadienne — pardon, québécoise — prend tout son sens.

Le reste n'a pas beaucoup changé. Un mouvement de fanatiques a bien essayé de forcer le « défrançaisage » de l'Orchestre symphonique de Montréal mais le bon Président fondateur est intervenu à temps. Rappelant à ses commettants que le répertoire de la musique classique québécoise ne suffirait pas à alimenter l'OSM (pas plus, d'ailleurs, que les oeuvres colombiennes ne le feraient pour la Philharmonique de Bogota), le chef de l'État a proposé l'ouverture d'une petite salle de spectacle réservée aux violoneux. Ça a marché.

Dans cette opération politique (l'accession à l'indépendance), les gagnants les plus discrets et les plus incontestables sont les membres des corporations professionnelles de toutes sortes. Les notaires n'aimaient pas qu'en Ontario, pour ne nommer que ce cas, on puisse acquérir une maison sans passer par leur entremise. Le nouveau cadre politique a anéanti cette menace en les confirmant dans leur rôle d'intermédiaires obligés.

Grâce à l'existence du code Napoléon, les avocats québécois sont parfaitement protégés de la concurrence étrangère (les particularismes de la société distincte, il faut bien que ça rapporte à quelqu'un). Les ingénieurs, agronomes, dentistes, médecins et autres plombiers seront éternellement reconnaissants au nouveau régime de les avoir ratifiés dans leur statut de fournisseurs monopolistiques.

Même les denturologues sont heureux. Depuis l'Indépendance, l'entrée des immigrants vietnamiens et philippins dans leur profession est mieux contrôlée. Ici, il faut dire que ces mesures étaient peut-être superflues, compte tenu de l'ampleur du marché des édentés.

VIII

Les perdants

LES GRANDS PERDANTS de l'Indépendance, ce sont les individus. Entendons par là la dimension individuelle des membres de la collectivité québécoise.

Le citoyen est l'élément constitutif principal de la cité. Sans lui, la nation n'existe pas et vice versa. De même, la cité forme le milieu politique à l'intérieur duquel le citoyen doit évoluer. Grande nation, grand cadre, grand destin potentiel pour l'individu citoyen.

Dans le cas du Québécois, l'Indépendance a divisé par cinq les dimensions de la piscine politique, économique et géographique à l'intérieur de laquelle il peut nager. Le cadre actuel est beaucoup mieux défini, certes, mais il est également rapetissé. Ses limites correspondent dorénavant à la grande vallée du Saint-Laurent.

Pour une certaine intelligentsia, ce repli était inscrit dans l'histoire. C'est la suite logique de la retraite stratégique imposée par le général français Moncalm pour rendre le Canada défendable pendant la guerre de Sept Ans. La Nouvelle-France d'alors avait dû renoncer à occuper les vallées de l'Ohio et du Mississippi pour renforcer le coeur de la colonie, c'est-à-dire les bords du Saint-Laurent. (Le Canadien Vaudreuil, lui, proposait plutôt de tenir tout le territoire en utilisant des techniques de guérilla pour harceler l'ennemi.) En votant « oui » au référendum d'il y a dix ans, les Canadiens français du Québec ont renoncé à jouer un ôle ailleurs au Canada pour mieux s'épanouir au Québec.

Faute de pouvoir occuper toute la pièce, on a réréci la scène. Après avoir dû dire « non » au destin continental devant les assauts militaires des Anglo-Américains, l'homme d'ici a abandonné le destin canadien pour évoluer sur un théâtre plus petit, plus à sa mesure. C'est peut-être moins grand, mais c'est plus solide. Ainsi parlaient ces maîtres à penser.

Baptiste a suivi. La collectivité s'en est trouvée plus sûre de son identité et, ce faisant, offre maintenant un cadre beaucoup plus rassurant à ses membres. La plupart de ces derniers ne s'en portent pas plus mal pour autant. Après tout, le Québec n'est pas si petit et le Nord offre un accueil à ceux qui rêvent de véritables grands espaces.

Certains ne digèrent toujours pas de s'être vus confinés à un choix de métiers et de terrains d'épanouissement plus restreint, mais il ne s'agit là que d'une minorité de « chialeux ».

Une minorité composée entre autres braillards des gens suivants : l'ingénieur chimiste qui ne pourra jamais travailler dans les pétroles de l'Alberta ; le physicien nucléaire réduit à veiller au bon éteignage du CANDU de Gentilly ; le spécialiste des pêches hauturières qui rêvait du Pacifique (il lui reste toujours une partie du golfe Saint-Laurent) ; le mineur qui n'a plus accès aux dépôts d'uranium de la Saskatchewan ; la biologiste spécialisée en vie aquatique d'eau douce qui ne peut plus évoluer sur les Grands Lacs ; le bûcheron qui ne verra jamais plus un cyprès de deux cents pieds de haut ; la coiffeuse et la secrétaire qui songeaient à passer quelques hivers dans le climat tiède de Victoria ; le travailleur de l'automobile qui doit maintenant choisir entre les grandes capitales nord-américaine de l'assemblage que sont Sainte-Thérèse et Bromont..

Que faut-il penser des originaux suivants ? L'arti san du cinéma qui n'arrive pas à se convaincre que l vidéo, c'est la même chose sur un écran plus petit. L jeune militaire qui se retrouve dans une unité motori sée... à moto. La banquière qui ne transigera plus ja mais en direct sur une grande place boursière. L météorologue qui doit maintenant travailler à parti de modèles qui ne prennent pas en compte l'océan At lantique. L'éditeur à qui on vient de retrancher un mil lion de francophones canadiens, lecteurs potentiels Le joueur de hockey qui comprend qu'il doit s'exile s'il veut évoluer dans les grandes ligues et toucher le traitements correspondants. Le cheminot pour qui l corridor Québec-Windsor s'arrête dorénavant à Do rion, Québec. L'écologiste qui doit se faire accroire qu le spectre des écosystèmes est assez vaste chez nous e qu'il n'est pas nécessaire d'aller dans les Rocheuse pour étudier les milieux alpins : les Laurentides son là, juste à côté. Et quelques autres éternels insatis faits.

Mais ce n'est là que la quantité négligeable d'un infime minorité. Et, comme le dit si bien le Présiden fondateur, à côté de la prise en main de son destin pa une collectivité, le sort d'un simple individu ne fai pas le poids. « Un peu de générosité, voyons ! Regar dez ce que moi j'ai perdu en passant de premier mi nistre d'une province à président d'un pays » pourrait-il rappeler au bon peuple.

Ce qui avait fait basculer l'opinion vers le « oui » à l'époque des débats autour du fameux référendum ça avait été l'adhésion des femmes et hommes d'a faires, les dirigeants des Caisses populaires en tête.

Pas de tous les gens d'affaires. Ceux qui avaient l'habitude de transiger à la grandeur de l'ancien Canada ne trouvaient pas drôle de se retrouver réduits à un marché de cinq millions de consommateurs, fussent-ils francophones. Depuis que Bell Canada a été scindée en deux, Bell Québec n'a pas la masse critique qui lui permettrait de consentir des investissements dans les techniques et des produits de pointe. Quand il offre une nouveauté à ses clients, c'est le plus souvent un gadget assemblé sous licence d'AT&T (USA). Bombardier parle de déménager Canadair à Houston, SICO ne peut plus repeindre la colline du Parlement et les biscuits Viau ont été déclarés immangeables de l'autre bord de la rivière des Outaouais.

Le plus enrageant, pour les dirigeants de plusieurs firmes d'envergure, c'est qu'avant le référendum ils travaillaient dans des limites géographiques qu'ils considéraient déjà trop petites pour atteindre une dimension leur permettant de se mesurer aux géants qui prennent de plus en plus de place dans l'arène économique mondiale. Ils eurent beau expliquer que la compétitivité d'une entreprise dépendait largement de sa taille (d'où leur appui au traité de libre-échange entre le Canada et les États-Unis), celles et ceux qui faisaient métier d'écrire des téléromans glorifiant les petites gens aux petits destins leur ont cloué le bec en les traitant de riches capitalistes à la recherche de profits toujours plus juteux.

Pour s'assurer qu'ils ne voleraient plus jamais, l'Indépendance leur a coupé les ailes en cinq.

IX

La francofarce

IL Y A DE CELA TROIS DÉCENNIES, dans les an nées mille neuf cent soixante-dix, est apparue un idée à prime abord emballante : établir des liens privi légiés entre tous les pays francophones du monde.

Cette Francophonie (c'est le nom original qu'o lui donna) se voulait le pendant du Commonwealt britannique, lui-même déjà moribond à cette époqu Il y avait toutefois une différence majeure entre le deux organisations. Alors que le Commonwealth réu nissait la plupart des anciennes colonies de l Grande-Bretagne en un genre de marché commun, l Francophonie rassemblait des États qui, le plus sou vent, n'avaient qu'une seule chose en commun : l'ut lisation de la langue de Molière, que ce soit de faço nationale, officielle ou marginale. C'est ainsi que l Zaïre et la Tunisie se retrouvèrent dans la même en ceinte que le Canada et le Vietnam.

Le leadership de cette auguste assemblée revin tout naturellement à la France, mais non sans que Canada offre un baroud d'honneur pour bien signifi que le règne de Paris ne pouvait être sans partage.

On organisa d'importantes réunions au somme on célébra de grandes fêtes, on multiplia les comit de ci et de ça, on se rencontra dans les capitales (d Nord en été, du Sud en hiver), on se gargarisa de pro fondes déclarations d'intentions. En un mot, on invi les bons peuples parlant français à rêver d'une grandeur retrouvée grâce à la solidarité linguistique.

Les pays africains profitèrent de cette fiction pour amener la France et le Canada à pratiquer la surenchère de l'aide au développement. Le mythe du « Canada pays nord-américain où l'or recouvre les trottoirs » fut utilisé comme contrepoids à « l'envahissante France ancienne puissance colonisatrice » pour amener le Canada à jouer un plus grand rôle en Afrique — c'est-à-dire à y dépenser plus d'argent. Tous les arguments-flatteries des plus éloquents griots y passèrent : technologie nord-américaine supérieure, nécessité pour le Canada de prendre la place internationale qui lui revenait, parenté (de langue) entre les Canadiens français et les Africains francophones, générosité proverbiale des Canadiens, empathie naturelle entre ces Nord-Américains relaxes et les Noirs tout naturellement ouverts et chaleureux, et ainsi de suite.

Tant et si bien que plus d'un Canadien tomba dans le panneau. Certains affreux réalistes eurent beau rappeler plusieurs faits incontournables, rien n'y fit.

Que, dans une grande mesure, le Canada était lui-même une colonie des États-Unis. Que rien — ni la géographie, ni l'histoire, ni la culture, ni les moeurs — ne réunissait le nord de l'Amérique au continent noir. Que la complémentarité, laquelle forme le principal ciment qui relie des nations différentes, était ici complètement absente. Que les distances énormes séparant des pays n'appartenant ni au même continent, ni au même hémisphère dans plusieurs cas, rendaient les échanges commerciaux prohibitifs. Peu importait tout cela.

Concrètement, pourquoi le Canada achèterait-il des arachides du Sénégal quand son voisin presque

immédiat (en l'occurrence l'état de Géorgie) en pro
duit à la tonne ? À l'inverse, pourquoi le Sénégal s
procurerait-il des camions diesel en Ontario alors qu
sa flotte est déjà constituée des robustes Berliet et de
increvables Mercedes ? Technologie nord-américain
supérieure ? Et tous ces yuppies de Silicon Valley qu
rêvent de se payer une BMW ou une Alfa-Romeo
toutes deux de fabrication européenne ?

On chercherait en vain les produits offerts par l
Québec qui ne sont pas déjà disponibles en France ou
en Belgique. Un pays qui ne fabrique pas de roule
ments à bille ou de dentifrice, qui n'a pas sa propr
marque de voiture ou d'aspirateur, qui doit payer de
centaines de millions de dollars chaque année pou
l'utilisation de licences étrangères, un tel pays est lui
même colonisé au regard de l'industrie. Ses habitant
ne s'en rendent peut-être plus compte, trop occupé
qu'ils sont à consommer à tour de bras, mais cel
saute aux yeux de n'importe quel voyageur curieux
Que peut donc offrir ce pays sans tradition tropicale
de jeunes nations en développement assoiffées de te
chnologies appropriées au Sud ?

Toujours concrètement, pourquoi des capitaux ca
nadiens prendraient-ils le chemin de contrées exotique
à la situation politique pour le moins instable quand le
occasions d'investissements ici-même sont légion
N'oublions pas que le Canada est tout de même un im
portateur net de capitaux d'investissement.

Quelques entrepreneurs d'ici se sont bien lancé
dans des aventures africaines, attirés par le mirage d
profits juteux générés sur des marchés vierges (mal
heureusement de pouvoir d'achat autant que de pro
duits). Mises à part des exceptions comme le cas de
chaussures Bata (en Afrique de l'Ouest, personne « n

fait un pas sans Bata »), les organisateurs des fastueux sommets ne purent faire défiler que bien peu de gens d'affaires heureux d'avoir transigé avec l'Afrique, aux côtés des innombrables hommes politiques et hauts fonctionnaires aux sourires riches... de promesses.

Encore ici, la réalité des choses l'emporta sur les rêves de grandeur de façade de certaines classes politiques bien représentées chez nous comme dans trop de pays du Tiers-Monde. Comme la plupart des belles déclarations restaient lettres mortes par manque de dollars sonnants (les esprits pudiques appellent cela la « volonté politique »), la Francophonie mourut comme elle était née : dans une grande fête multicouleurs qui rassembla une foule de politiciens d'Afrique, d'Amérique, d'Europe et d'Asie qui croyaient encore au vaudou verbal.

Quand les cierges s'éteignirent et que les micros furent débranchés, l'ordre naturel des choses reprit sa place. La France continua de veiller sur la plupart de ses anciennes colonies. La Belgique se vit supplier par le Zaïre d'accepter un contrat de gestion globale des quelques richesses minières qui avaient échappé à la tribu de Mobutu. Le Vietnam déclara que la farce avait assez duré et que son destin se trouvait décidément en Asie. La Louisiane s'en retourna aux États-Unis pour se refaire les poches.

Quant au Québec nouvellement indépendant, il exigea avec la plus grande fermeté que la France lui envoie autant de coopérants qu'elle le faisait pour le Mali.

Nous faisions enfin partie du concert des nations souveraines.

X

La langue de chez nous

LA LANGUE EST le principal outil de communication. « Ce qui se conçoit bien s'énonce clairement, et les mots pour le dire viennent aisément », disait Boileau. Cela suppose un vocabulaire riche, véritable boîte à outils au service du locuteur.

Cela présume également une maîtrise des règles de la langue qui mette celle-ci au service de l'expression, et non pas l'inverse. Règle générale, la grammaire et la syntaxe possèdent une logique interne qui permet de traduire très fidèlement une idée ou un concept donné par une suite de mots, de silences et de ponctuations. La richesse de ces tiroirs varie d'un individu à l'autre, ainsi que d'un groupe humain à l'autre. Il y a fort à parier que la langue de la confrérie des poètes allemands est plus riche que celle d'une communauté rurale d'Indonésie.

Sans que cela n'ait rien à voir avec la valeur intrinsèque des individus ou des cultures, pour pratiquer leurs métiers respectifs de façon adéquate les disciples de Goethe ont besoin de plus de mots ainsi que d'une plus grande maîtrise des règles de la grammaire et de la syntaxe que les villageois de Nusa Tenggara Barat.

Revenons sous nos latitudes.

Au Canada français, la langue a dû évoluer en vase clos pendant un bon siècle, après 1760. Elle s'est peut-être alors figée, mais personne ne peut lui reprocher de s'être abâtardie pendant cette période. À cette époque, un bataclan était très explicite et le traître avait viré son capot. Même si le voisinage avec l'anglais était déjà une réalité, la distance, le petit nombre des occasions de contact et la nature autarcique de l'économie réduisaient les pénétrations au strict minimum.

Avec l'arrivée en Amérique de la révolution industrielle — et de son corollaire obligé, l'urbanisation —, les rapports entre ces deux univers linguistiques ont commencé à changer radicalement. Dans un premier temps, des fils de fermiers — lesquels possédaient parfaitement bien le langage de la terre — se sont retrouvés dans des manufactures qui utilisaient la variante américaine de l'anglais. (Bien sûr, à peu près au même moment, la France montait des ateliers et des usines qui travaillaient en français, mais c'était de l'autre côté de l'océan Atlantique.)

Les vocables de ferme du Bas-Saint-Laurent ou de Terrebonne devinrent alors désuets parce qu'impuissants à traduire la réalité de la mécanique qui animait la « factry ». Par simple économie, le locuteur abandonnera alors les mots inutiles et, plutôt que d'en inventer de nouveaux dans sa propre langue, il empruntera éhontément les termes étrangers qui lui conviennent. Sa façon de se les approprier sera de leur imprimer les accents de sa langue maternelle. C'est une forme de baptême sonore de conversion.

C'est ainsi que *team* devint tim, *back house* bécosse, *camp* campe, *steam* stim, *engine* engin, *combine-harvester* (moissonneuse-batteuse) combine, etc. Ces accaparements, emprunts et rebaptisages ne se font pas à sens unique : il faut entendre comment les anglophones prononcent des mots et expressions maintenant très anglais comme *lieutenant-colonel, béret, liqueur, mayday* (de « m'aider »), *lingerie, milieu, coupé* et *fleur de lys*. Cette économie d'effort est normale : pourquoi réinventer la roue quand on n'a qu'à la renommer à son oreille ?

Mais passé un certain seuil d'emprunts, la langue se bâtardise à en devenir méconnaissable. C'est à ce moment qu'on est tenté de se demander si l'assimilation pure et simple, le basculage à l'anglais, ne vaudrait pas mieux. Parle-t-il toujours français l'électricien originaire du Lac Saint-Jean qui profère : « J'ai besoin de mon *helper* pour attraper le *fisher* qui passe le *lumex* connecté aux *switches three-way* et à la *fixture* » ? Mais comment pourrait-il en être autrement quand le métier a été appris par correspondance avec une école de Baltimore ? Y a-t-il un seul Québécois qui ne sache ce qu'est du *windshield washer* ou un *waybill* ?

La ménagère d'ici peut saupoudrer ses salades de sel Sifto et faire sa lessive avec du Tide sans avoir la moindre idée de la signification de ces marques de commerce. Pour elle, Sifto = sel, tandis que Tide = savon à lessive. Le résultat sera le même (laitue salée et linge plus blanc que blanc) mais sa prise sur l'environnement (ici, commercial) est décidément plus ténue. Si notre maîtresse de maison est à l'affût de formes subtiles de fausse représentation, son manque de connaissance de l'anglais lui interdira de déceler le piège de la marque Bee-Hive(«ruche» en français) pour du supposé sirop de maïs. C'est une forme d'aliénation. Même chose pour les amateurs de grosses cylindrées qui, pour la plupart, ne sont pas à même d'apprécier la valeur symbolique du terme « Sting Ray » accolé à la marque Corvette. (Réciproquement, bien peu d'anglophones associent ce nom bien français à un vaisseau de guerre rapide et léger.)

Prenons-nous à rêver et imaginons un instant ce qu'il serait advenu du français utilisé sur ce continent si le général et premier président George Washington, autant pour en finir avec le legs britannique que pour remercier la France de son indispensable support militaire, avait décidé d'instaurer le français langue officielle des États-Unis d'Amérique. La technologie américaine — donc mondiale — serait aujourd'hui véhiculée en français et le Québec achèverait de coloniser économiquement le reste du Canada.

Mais comme le premier Congrès de la jeune république n'a pas pris cette décision et que le Québec d'alors n'a rien fait pour la suggérer — en profitant de la guerre d'Indépendance américaine pour jeter les occupants britanniques dehors, par exemple —, la langue française parlée au Canada s'est retrouvée anglaise pour l'essentiel de son vocabulaire technique et scientifique.

Un autre scénario très imaginatif aurait vu le Canada français développer une technologie originale dans des secteurs où la donne des ressources naturelles l'avantageait. Cela aurait pu être le cas de l'amiante, par exemple, à peu près inexistant ailleurs en Amérique. Mais comment pourrait-on tenir rigueur à une société rurale de n'avoir pas eu assez de vision pour exploiter un minerai dont les caractéristiques ignifuges sont appréciées d'abord et avant tout par l'industrie ? Il est assez révélateur que la capitale québécoise (et mondiale) de l'or blanc se nomme Asbestos, et non pas Amiante.

Compte tenu de la population modeste du Québec, de sa position géographique en périphérie des grands axes continentaux du développement moderne et de l'isolement culturel facilité par la barrière de la langue, il était inévitable que ce pays se retrouve colonisé, en ce qui a trait aux techniques et à la science, par le monde anglo-saxon, avec toutes les conséquences que cela comporte pour la langue parlée et écrite.

Prix de consolation, nous ne sommes pas les seuls dans cette situation. Il est très instructif d'écouter un échange verbal entre deux mécaniciens mossis du Burkina Faso, par exemple. Ça se déroule, à notre oreille attentive, à peu près comme ceci : « Bla bla moteur bla bla bla bougie bla bla vidange bla bla carter bla bla huile à transmission bla bla bla filtre ». Même chose pour le chef cuisinier bulgare qui travaille dans un restaurant français de Los Angeles et pour le compositeur espagnol qui annote sa partition en italien.

Il faut dire qu'à la différence du Québécois moyen, le chef bulgare et le musicien espagnol ne font appel à des langues étrangères que dans des domaines très spécialisés. Quand il s'agit de plomberie ou de mécanique générale, la langue d'Yvan Vazov et celle de Cervantès les servent parfaitement bien. S'il faut absolument tracer un parallèle, c'est avec le mécanicien burkinabé qu'il faut le faire. Toute technique un tant soit peu sophistiquée nous étant venue de l'extérieur — des États-Unis pour nous, de la France pour nos mécaniciens africains —, nos langues techniques ne nous appartiennent à peu près pas.

Il est bien normal que nos artistes et nos hommes de loi s'en offusquent : les premiers vivent de la différenciation culturelle ; les seconds gagnent leur croûte en bonne partie grâce au code Napoléon, rédigé en français comme il se doit.

Pendant que les oreilles sensibles souffrent encore en silence, les techniciens et les ouvriers spécialisés d'ici doivent réapprendre des termes justes français, lesquels sonneront un peu faux encore longtemps dans leur bouche.

Et si les ingénieurs en aéronautique, les botanistes, les sociologues, les embouteilleurs, les électroniciens et autres informaticiens veulent demeurer à la pointe des développements dans leurs domaines respectifs, ils n'ont qu'à se bilinguiser pour être branchés directement sur les sources du savoir qui parlent le plus souvent anglais.

Si ces gens attendent les traductions, ils se retrouveront moins bien informés et avec un retard sensible. C'est là l'un des coûts associés à l'utilisation du français en Amérique du Nord. Vivre en français au Québec, c'est être en retard de presque dix ans sur New York, pourtant à moins de 600 kilomètres au sud. Ne lire que le français, c'est ne pas avoir accès à des publications spécialisées comme *Working Woman, Air & /o Space, National Geographic, Female Body Building, Pets Today, Shape, Humanist in Canada, Islands, Fine Wood Working, Hunting & Shooting, Outdoor Life, Canadian Geographic, Equinox, Chocolater, Food & Wine* et une multitude d'autres.

Cet état de fait maintenant plus que centenaire n'a pas été modifié par le réaménagement du cadre politique, et ce tout simplement parce que les paysages économique, technique et scientifique plus généraux dans lesquels la République du Québec évolue, eux, n'ont pas changé. Et l'on voit mal comment ils pourront jamais se métamorphoser pour s'accorder au politique.

À l'échelle de la planète, la version internationale de la langue de chez nous continue de perdre du terrain.

Pendant trois siècles, le français a joui d'une importance hors de proportion avec le nombre de ses locuteurs. Quand la France était le point de rencontre des idées modernistes, quand son empire colonial la projetait sur les cinq continents, quand le passage par Paris départageait les tendances mondiales des modes locales, quand la Ville lumière servait de phare intellectuel à l'Occident, quand avoir une audience internationale signifiait parler du haut de la tour Eiffel ou de la banquette d'un bistro sis boulevard Saint-Germain, autrement dit quand la France était grande, sa langue était grandement parlée et écoutée.

C'est l'occupation des rives gauche et droite de la Seine par les Nazis qui a ramené la France à la dimension d'un pays européen. Le défilé qui a suivi la libération par les troupes anglo-saxonnes (surtout d'outre-Atlantique) a définitivement ouvert les Champs-Élysées à la culture et aux produits américains : McDonald's y a maintenant pignon sur rue et les vedettes d'Hollywood y habitent la majorité des grands écrans.

Malgré cela, la France n'a pas complètement perdu espoir de voir son idiome devenir la *lingua franca* (expression qui, ironiquement, signifie « langue française » en vieux vénitien) de la Communauté économique européenne, mais la plupart des observateurs parient plutôt sur le cheval d'Albion. Ce qui s'explique facilement.

Tout le monde admet que le français est plus compliqué que l'anglais, par conséquent plus difficile à maîtriser par les Danois, Allemands et autres Grecs

Ensuite, le géant germanique, après avoir renoncé très tôt à entrer en lice, s'est rabattu sur le finaliste avec qui il a le plus de liens de parenté linguistique. Autre facteur non négligeable qui joue en défaveur de la langue du Bien-vivre : l'incapacité du français à se débarrasser à temps de ses encombrants accents. On parle bien de réforme depuis plus de cinquante ans, mais pendant qu'on parlait, l'anglais américain se simplifiait par la force de la multitude des nonanglophones qui l'utilisent quotidiennement. Deux exemples parmi tant d'autres : l'emprunt du mot français débris devient debris, et ce sans que personne n'y perde son latin ; même chose pour le coupé qui se transforme en coupe en roulant de ce côté-ci de l'Atlantique. (Par contre, resumé garde encore l'un de ses deux accents, sans doute pour faire plus sérieux.)

Enfin, *last but not least*, pourquoi adopter pour la C.E.E. une langue commune qui serait différente de la *lingua franca* de la planète Terre ?

Le poids politique maintenant sans contrepartie des États-Unis aidant, on ne voit pas comment l'anglais d'Amérique, d'ores et déjà la langue du commerce, de l'aviation, de la marine, du pétrole, des ordinateurs et du jazz, serait supplanté par l'ancienne langue de la diplomatie et de la bonne cuisine... française.

Que restera-t-il alors pour former le domaine de la langue de chez nous ? Les restes de la défunte Francophonie ? C'est bien peu. En nombre, le déséquilibre est écrasant : à travers le monde, l'anglais est parlé par 350 millions de personnes contre 80 millions pour le français (moins que l'arabe avec 100 millions et que le portugais avec 90 millions). À cela s'ajoute le triste constat de l'appétit apparemment insatiable

avec lequel la mère-patrie bouffe de l'anglais. Plu
sieurs voyageurs font remarquer que, depuis les an
nées soixante et en dépit d'un anti-américanism
affiché bien haut et crié bien fort, la moindre âneri
proférée en anglais est reçue comme intelligente e
France. Maints Québécois en sont irrités — et déçu
de manière presque sentimentale.

Les scientifiques d'ici, pour justifier la publica
tion en anglais de leurs papiers savants, rappellen
que plus de la moitié des chercheurs français d
France font de même. Tout le monde veut être lu pa
tout, n'est-ce pas ? Alcatel, une firme française qui es
le numéro un mondial des transports et des télécom
munications, a adopté l'anglais comme *lingua quoti
diana* de son siège social parisien. Rien de surprenan
à cela quand on songe que ce géant fait des affaire
dans 75 pays. C'est sa filiale Alsthom qui construit l
fameux TGV et les plus grands navires de croisièr
qui aient jamais navigué sur les sept mers.

Dans le domaine de la culture populaire, « Rivie
ra », le grand téléroman de prestige franco-européen,
été tourné sur la Côte d'Azur comme il se doit et e
version originale... anglaise. Au cinéma, le réalisateu
bien français Jean-Jacques Annaud n'a pas hésité à fil
mer « L'Amant » en anglais, une bonne façon de met
tre ce *best-seller* de Marguerite Duras à la portée de
millions de paires d'oreilles qu'il faut rejoindre pou
rentabiliser ce genre de super production.

Lorsque même la mère spirituelle couche ave
l'envahisseur, il est bien difficile de demander à la fill
pauvresse de rester vierge.

XI

La langue des autres

LE PROBLÈME QUE POSE L'ANGLAIS, c'est que cette langue de 340 000 mots vivants, de filiation germanique mais dont le vocabulaire possède des racines françaises pour les deux tiers, est extrêmement attrayante.

Le *Basic English* est facile à apprendre ; c'est une langue qui n'est absolument pas sectaire ; parce qu'elle emprunte sans vergogne aux autres idiomes, son vocabulaire est infiniment riche ; pragmatique, elle accepte facilement les abréviations. Des prépositions telles *up, down, in, out,* etc. multiplient les significations de base, tandis que des suffixes comme *ness, less, hood, dom, kind, wise, like,* etc. transforment des adjectifs en substantifs ou vice versa. Elle n'a pas son pareil pour créer des néologismes ; très connectée à la réalité, elle utilise plus les images que les abstractions ; modèle de tolérance, elle se laisse allègrement massacrer par la foule des non anglophones qui l'emploient. Enfin, elle utilise les caractères latins. Pour les francophones, de nombreux airs de famille (les emprunts, plusieurs termes scientifiques, ainsi que la multitude des faux amis) incitent à baisser les armes.

À cela s'ajoutent les considérations d'ordre politique, économique et technique. Pour les premières, il suffit de rappeler qu'en ce début du troisième millénaire de la civilisation occidentale, les maîtres désormais incontestés du monde parlent la variante américaine de l'anglais.

Pour l'économie et le commerce, même les Français identifient leurs produits nationaux par « Made in France ». Vu et entendu au réseau des sports RDS : quand un journaliste français interview une *surfer* allemande qui chevauche les vagues d'Aruba, c'est en anglais que ça se passe.

Quant aux grands champs de l'activité intellectuelle, existe-t-il une seule discipline scientifique ou artistique qui soit dominée par une langue autre que l'anglais ? (La philosophie kantienne, peut-être !)

Le français demeure la langue officielle de la poste internationale. Pourtant, laquelle des deux expressions « Par avion » ou « Air Mail » est la plus comprise à travers le monde ?

Au Québec maintenant souverain, quiconque veut être bien informé sur les affaires des Amériques et du monde doit pouvoir lire et entendre l'anglais — et cela n'est pas moins vrai aujourd'hui qu'à l'époque de la Confédération. Ceux qui ne le peuvent pas sont des citoyens de seconde zone en termes d'information. Et qui a dit que « l'information, c'est le pouvoir » ? Maintenant que la chaîne CNN a donné de la réalité au concept de village global, ce village a son espéranto : c'est le *bad English*, comme dirait le prince Charles.

La consultation des mémoires sociales et scientifiques que sont les banques de données se révèle très instructive. La grande majorité de leurs *bytes* parlent anglais. Même chose pour les bibliothèques : la plus grande au monde est celle du Congrès, à Washington.

Aujourd'hui comme il y a dix ans, la lecture de journaux *canadian* comme *The Gazette*, le *Toronto*

Star, le *Vancouver Sun* et le *Globe and Mail* est également très instructive. Une proportion incroyable des articles de fond sur l'actualité américaine et mondiale sont des *reprints* de grands quotidiens américains de qualité comme le *New York Times,* le *Washington Post,* le *Wall Street Journal* et le *Los Angeles Times*. C'est peut-être là la vision américaine du monde, mais ne vaut-elle pas la vision française de France ? Cet accès quasi direct aux médias du *boss* est un autre exemple de bonus retiré par les *Canadians* pour l'utilisation de sa langue.

Nous avons tous appris à l'école secondaire que le français était l'une des langues les plus précises qui soient. « La langue de la diplomatie internationale », rajoutait-on pour étayer cette poussée de chauvinisme, travers si commode pour réconforter les petits peuples. On s'explique mal alors que les principaux membres de la famille des Nations unies aient des sigles anglais : FAO (pour *Food and Agriculture Organization*), UNESCO (pour *United Nations Educational, Scientific and Cultural Organization*), UNICEF (pour *United Nations International Children's Emergency Fund*). Sans oublier le GATT (*General Agreement on Tariffs and Trade*).

Si le français est plus apte que l'anglais à rendre une idée complexe, comment se fait-il que cette dernière langue contienne un bon 15 % de plus de termes ? Sont-ce tous là de redondants synonymes ? Combien faut-il de mots, en français, pour rendre « flawlessness » (qui est une bonne illustration de la facilité que possède l'anglais à fabriquer des mots) ?

Langue de la diplomatie, oui ; jusqu'à la Deuxième Guerre mondiale, qui a consacré le rôle prépondérant de l'acteur « America » sur la scène mondiale. N'oublions pas que c'est à New York qu'est installé le siège des Nations unies. Et quand les Russes ou les Chinois traitent avec les Américains, aucune des parties ne sent le besoin de faire appel au français pour être sûre d'être bien comprise.

D'ailleurs, si l'anglais était si imprécis, on ne verrait pas autant de scientifiques français l'utiliser pour rédiger leurs savants articles. Est-ce qu'ils le font uniquement par souci d'économie d'espace, ayant remarqué que la même chose expliquée en français requiert un bon dix pour cent de plus de mots ?

L'une des grandes forces du dialecte des multinationales (de la hollandaise Philips à la japonaise Mazda), c'est de facilement emprunter et faire siens — d'adopter — les termes dont il a besoin. Pour le plaisir vaniteux de se voir employer par les autres, voici une énumération très partielle d'expressions et de mots français connus de tout Anglo-Saxon instruit : *élan, voyageur, coup d'État, malaise, bête noire, nom de guerre, nom de plume, ménage à trois, cul-de-sac, canard, bureau de change, faux-pas, poste restante, joie de vivre, fait accompli, routine, déjà vu, blasé, cabriolet, femme fatale, salon, apéritif, entrée, enfant terrible, pousse-café, voyeur, carte blanche, communiqué, matériel, tour de force, raison d'être, touché, tirade, cliché* ; *travail*, pour ceux qui ne se contentent pas de *work* ; *mousse*, qui n'est pas tout à fait *foam* ou *lather* ; *laissez-faire*, qui ressemble beaucoup à laisser-faire ; *fossettes*, pour les romantiques qui veulent mieux décrire les *dimples* qui ornent la croupe des femmes qui ont la chance d'être juste assez pulpeuses ; etc.

Maintenant, un relevé rapide dans les **a** du *Concise Oxford Dictionary* : *au gratin, au pair, abatis,* *abattoir, accoucheur, adieu, aileron, à la carte, à la mode, agent provocateur, âme damnée, amende honorable, amour propre, à merveille, à outrance, à propos, arc-boutant, arrière-pensée, arriviste, (and so on).*

Un autre problème (entendez une autre caractéristique qui le rend très assimilateur) de l'anglais : l'interlocuteur anglophone va rarement reprendre l'étranger qui esquinte sa langue. Il sera satisfait en autant qu'il aura compris son message. Cette attitude est aux antipodes de celle du parlant français (le Québécois jamais autant que le Français) qui se croit investi de la mission divine d'éduquer le monde entier sur la façon correcte (et, partant, unique) d'utiliser sa langue.

Imaginons un peu le courage qu'il fallait à un politicien anglophone, à l'époque révolue de la Confédération, pour discourir publiquement en français, sachant très bien les gorges chaudes que sa prestation allait provoquer chez une bonne partie de son auditoire. Comme si les millions de Canadiens français qui se prétendaient bilingues parlaient tous l'anglais de façon châtiée ! Quelle belle assurance ; quelle belle inconscience !

Les très nombreux anglophones de bonne volonté qui faisaient des pieds et des mains pour pratiquer le français se plaignaient souvent de se heurter à un obstacle quasi infranchissable : dès que leurs interlocuteurs reconnaissaient leur accent, ils s'empressaient de sortir leur anglais. C'est normal : les Canadiens français ont toujours su l'importance de l'anglais pour accroître leur emprise sur leurs destinées. Il est donc pensé de profiter de toutes les occasions possibles pour parfaire la maîtrise de cet outil. Cette attitude

n'a naturellement rien à voir avec la fierté. C'est, to
banalement, l'opportunisme du réaliste.

Malgré la simplicité du *Basic English*, la lang
des pétroliers et des avions (y compris les Airbus, a
semblés à Toulouse) recèle de terribles pièges,
moindre n'étant pas la prononciation. Contraireme
à l'honnête espagnol pour lequel le «o» s'écrit et
prononce «o», comment savoir la bonne prononci
tion du «i» anglais dans un mot donné quand on n
jamais entendu ce mot ? Même chose pour le «a
Pourquoi, quand on est maladivement pudiqu
plonge-t-on dans son *bath* [à] *tub* avec son *bathing* [
suit ? Mystère de prononciation et de comporteme
qu'il faut être anglais pour comprendre.

Autre mystère, politique celui-là. Une loi ont
rienne a toujours interdit la présentation en salle
films en langues étrangères — cela comprend le fra
çais — sans sous-titres anglais. Voilà une « inique l
linguistique » qui n'a jamais fait les manchettes.

Mais en dernière analyse, le malheur du franç
au Canada aura été de devoir entrer en concurren
directe avec la *lingua franca* du globe. Dans un com
bat aussi inégal, il est surprenant qu'il ait résisté
longtemps. Sa vaillance, sa bravoure et son coura
offerts contre un adversaire infiniment plus fort l'h
norent. Ces belles qualités suffiront-elles à faire pa
ser son destin de survie à vie ?

Après dix ans d'Indépendance, le rapport d
forces (en termes de langues) a bien peu changé a
Québec. S'il est vrai que les locuteurs anglophon
sont moins nombreux dans le nouveau pays, la m
qui encercle l'îlot du Québec est plus homogène q
jamais. Mais ce qui inquiète encore plus les gens d'i
c'est le constat que tous les Québécois d'une certai

d'envergure, dans tous les domaines de la vie économique, scientifique et même artistique, trouvent toujours une façon d'apprendre l'anglais et de le faire enseigner à leurs enfants.

L'anglais est peut-être devenu underground en disparaissant des affiches commerciales, mais il a la cote plus que jamais.

XII

Les élites bilingues

DÉJÀ, À L'ÉPOQUE du grand débat sur l'opportuni
té de quitter le cadre confédéral canadien, certains ob
servateurs sagaces avaient remarqué que les lois qu
empêchaient les Canadiens français et les nouveau
immigrants d'envoyer leurs enfants à l'école anglais
avaient souvent des effets pervers. Parce qu'ils avaien
pu fréquenter très tôt les classes d'immersion fran
çaise, plusieurs jeunes diplômés de langue maternell
anglaise étaient véritablement bilingues, alors qu
leurs concurrents francophones devaient faire du rat
trapage à l'université pour tenter d'égaliser leur
chances.

Ainsi donc, non seulement la législation n'arri
vait pas à changer le cours naturel des choses, mai
elle handicapait celles et ceux qu'elle voulait protége
En les gardant du séditieux virus anglais, cette forte
resse de lois linguistiques désavantageait les coureur
francophones de souche. Ces derniers venaient ains
grossir les rangs de ce marché captif qui avait fait l
fortune de plus d'une génération d'élites intellec
tuelles et économiques québécoises.

Les notables, eux, avaient compris très tôt qu'i
était totalement illusoire de songer à avoir prise sur l
réalité nord-américaine sans la maîtrise de la langu
nord-américaine. Les couches supérieures de la socié
té canadienne française envoyèrent donc très tôt leur

éritiers dans des institutions d'enseignement anglo-
hones à Montréal, en Ontario et aux États-Unis.

Les petits bourgeois, pour leur part, se conten-
ient de placer leurs enfants dans des camps de va-
ance américains. Quant aux membres les plus futés
e la classe moyenne, ils se rabattaient sur l'école an-
aise pour donner à leurs rejetons cet outil indispen-
able de communication que représente la langue de
ongfellow.

Quand les humiliantes lois linguistiques furent
otées dans les années soixante-dix, les vrais riches et
s moyens bourgeois ne s'alarmèrent pas outre me-
ure : ils continuèrent à placer discrètement leurs en-
nts à l'étranger. Les autres, ceux qui n'avaient pas
s moyens financiers d'outiller leurs enfants malgré
gouvernement ? Eh bien, il faut bien que la loi serve
quelque chose ! Qu'elle touche quelqu'un ! Autre-
ent ce serait l'anarchie, n'est-ce pas !

Ainsi donc, pendant qu'un train de lois venaient
re aux Québécois et aux Canadiens que la langue
ançaise n'était pas assez forte pour vivre au Québec
ans la protection de l'État, la classe moyenne et les
uvriers étaient invités à joindre la lutte en offrant
ur ignorance en rempart contre l'envahisseur. C'é-
it normal : quand le pays part en guerre, les élites
ationales montrent le chemin du champ de bataille
le bon peuple va s'y faire massacrer. La grandeur
ationale est faite de sacrifices ; idéalement, ceux des
utres.

Si ce bon peuple porteur du flambeau linguistique
vait regardé la télévision de CBC ou CTV dans les
uatre-vingts et quatre-vingt-dix, il aurait été frappé
ar la grande maîtrise de la langue de Shakespeare af-
chée par *quite a few* de ses leaders politiques. Le Pré-

sident fondateur lui-même ouvrait la marche des pc
ticiens nationalistes anglophiles. Si on lui avait c
mandé pourquoi il avait étudié à la prestigieu
London School of Economics plutôt qu'à l'Univers
Laval, il aurait pu répondre que ce n'était qua
même pas de sa faute à lui si la meilleure instituti
dans cette discipline se trouvait à Londres. Quand
vise l'excellence, ne faut-il pas être prêt à consen
des sacrifices ?

Et l'anglais, c'est bien utile pour un président
république appelé à transiger avec les autres grands
ce monde sur une base quotidienne. Très utile, éga
ment, pour rapidement prendre connaissance des d
niers développements dans à peu près tous l
domaines de l'activité humaine. Une élite digne de
nom ne peut pas se permettre d'être en retard, c'est-
dire d'attendre la traduction. Pour conduire le b
peuple à son salut — et à sa survivance —, il faut q
ses dirigeants se dotent des meilleurs outils possib
« Apprendre l'anglais, pour nous, c'est un devoir
auraient-ils pu plaider.

« Pour vous, les pompistes, garçons de table, c
vriers non spécialisés et autres cultivateurs, c'est u
calamité qui conduit tout droit à la disparition de
race », auraient-ils pu ajouter.

Les beaux esprits et les têtes bien faites du Car
da français avaient vite pris goût à l'authentique, à
version originale. Au cinéma, par exemple, l'intel
gentsia puriste aurait été agacée de voir une bouc
prononcer « *Cut the crap, I'm dumping you !* », to
en l'entendant dire « Arrête ton manège, j'te quitte
Il est bien connu qu'un intellect raffiné est choqué p
ce genre de non correspondance entre le vu et l'ente
du.

Le cerveau de l'ouvrier d'usine, lui, doit être
noins sensible car il semble s'y faire volontiers. Il
aut dire qu'en Amérique du Nord, seul le travailleur
anadien français l'accepte. Ses voisins du Sud, eux,
ortent de la salle en courant quand on essaie de leur
aire le coup. Il est vrai que ces Yankees bornés ne
ortent pas sur leurs épaules la défense d'une langue
ut of place, les pauvres.

Il est bien commode, ce marché captif des Cana-
liens français unilingues. Un gros joueur de l'indus-
rie culturelle comme Télé-Métropole n'aurait jamais
u le jour sans les énormes profits réalisés dans la tra-
luction de la culture yankee, supposément si diffé-
ente de la nôtre. Des séries comme « Father Knows
Best » — pardon « Papa a raison » — et « Dynastie »
eignaient des moeurs tellement étrangères aux nô-
res que les programmateurs de la rue Alexandre-DeS-
ve les gardèrent à l'affiche pendant des décennies.

Imaginons un peu la scène si le bon peuple avait
u suivre les aventures hebdomadaires de ses person-
ages préférés dans la langue maternelle de ces héros
lu petit écran. Assimilation infâme pour lui... et pas
le fabuleux profits pour TVA et compagnie.

Il en va de même pour les bandes dessinées de *La
Presse* du samedi que la troupe de Jean Duceppe qui a
ait fortune dans la production de pièces américaines
raduites (ils disent « adaptées »), que bon nombre d'é-
liteurs d'ici et de France dont le gros du chiffre d'af-
aires est constitué de traductions de livres écrits
l'abord en anglais, sans oublier la dynamique indus-
rie montréalaise du doublage en français de films
méricains. Autrement dit, tout ce secteur des indus-
ries culturelles qui gagne sa croûte comme intermé-
iaire linguistique obligé entre les créateurs

anglophones et les consommateurs unilingues franc
phones.

Quant à la saveur unique *from the horse*
mouth, l'élite de chez nous n'a pas besoin d'aller tr
loin pour la goûter : les Anglais de Westmount sont
et, pour les puristes, New York n'est qu'à soixante-d
minutes d'avion.

Que le gratin intellectuel d'ici saisisse très vi
d'où émanent les sources de la connaissance s'illust
par l'anecdote qui suit. Nous sommes à l'Universi
de Montréal en 1966, à la faculté des Sciences s
ciales. Au premier cours d'introduction à l'anthrop
logie, le premier livre obligatoire a pour titre *Mankin*
Le lendemain, le professeur de sociologie se présen
dans l'amphithéâtre en tenant bien haut *The Lone*
Crowd. Le surlendemain, *Calculus II* lance la sessic
d'automne en mathématiques. Imaginons les lectur
en économie, en chimie, en statistiques, en comptab
lité, en finance, etc. dans les autres départements
facultés à vocation plus technique de cette institutic
de haut savoir québécoise.

L'élite culturelle et intellectuelle, donc, comprer
vite. Les futurs gens d'affaires, émules de Robe
Campeau et Paul Desmarais, deux Franco-Ontarie
qui ont fait fortune en anglais, comprennent enco
plus vite. Et tout ce beau monde d'espérer que le bc
peuple marché captif, lui, ne comprendra jamais.

XIII

La colonisation

PARCE QU'ON L'ASSOCIE à l'exploitation des peuples du Tiers-Monde, le phénomène de la colonisation a aujourd'hui très mauvaise presse. C'est oublier qu'il dissémine les connaissances et, surtout, qu'il est inévitable et répandu de façon très générale dans les règnes végétal et animal. La grippe, la salicaire et le moineau européen constituent de bons exemples de colonisation en Amérique.

Dès lors que les moyens de transport permettent des déplacements de masse, des populations plus dynamiques — d'autres diraient plus belliqueuses — envahissent les territoires qui leur paraissent sous-utilisés. Au demeurant, l'énorme avantage que le colon possède sur l'autochtone, c'est une quantité d'informations (la technologie) qui se trouve sans cesse alimentée et renouvelée par les liens avec la métropole, d'où émane justement cette technologie.

Après avoir appris des Français, les Libanais dominent aujourd'hui le commerce en Afrique de l'Ouest ; les Hindous font la même chose en Afrique de l'Est, amenés là par leurs anciens maîtres anglais. Les Chinois ont le monopole des fruits et légumes à Tahiti ; et c'est un gringo qui opère le bar le plus « swingnatif » de San Jose, Costa Rica.

Plus près de nous, jamais un Canadien n'a présidé aux destinées de General Motors of Canada (c'est traditionnellement un expatrié du Michigan) et, après que les Français y eurent perdu plusieurs plumes (l'aventure de Renault à Saint-Bruno), ce sont des Coréens qui, marchant dans les traces des Américains à Sainte-Thérèse, enseignent maintenant aux Québécois à assembler des voitures — pas à les concevoir ni à les fabriquer, à les monter seulement. Mais ces emplois bien rémunérés contribuent à la relative prospérité du Québec, démontrant ainsi que la colonisation, par ses transferts technologiques, élève souvent le niveau de vie des populations récipiendaires.

Quand, il y a à peine quarante ans (pour que nous puissions enfin devenir « maîtres chez nous »), notre pouvoir d'emprunt alors vierge a élargi l'envergure d'Hydro-Québec pour que cette société d'État englobe — entres autres compagnies — la Shawinigan Water and Power, nous avons alorsacheté des turbines calées dans le béton au début du siècle par des entrepreneurs américains qui avaient pu lever des fonds à Boston. Pendant plusieurs années, les eaux ainsi harnachées du Saint-Maurice fournirent le gros de l'énergie électrique distribuée par la Montreal Light and Power, celle-là même dont la nationalisation donna naissance à l'Hydro. C'était peut-être un peu humiliant de racheter ainsi une technologie étrangère déjà installée, mais c'était plus astucieux que de redécouvrir les principes énoncés par André-Marie Ampère un siècle plus tôt.

Le malheur, pour les colonisés, c'est qu'avec la maîtrise de la technologie arrive généralement le contrôle de la destinée politique. C'est pour cela que la langue anglaise a un poids hors de proportion avec le nombre des anglophones. Au Québec comme dans le reste du monde. Que les Japonais, qui semblent savoir compter et prendre tout en considération, se mettent plus volontiers à l'anglais qu'au cantonnais n'a par conséquent rien d'étonnant.

Pour les mêmes raisons, au Sénégal le français a plus d'autorité que le ouolof, pourtant la langue vernaculaire de la majorité des habitants de ce pays.

C'est également pour cela que la langue mohawk ne sera jamais enseignée dans les écoles d'Oka ou de Châteauguay, non plus d'ailleurs que dans celles du sud de l'Ontario ou du nord de l'État de New York.

On comprendra qu'une économie nationale donnée doit atteindre une masse critique spécifique pour qu'une activité industrielle particulière puisse s'y développer. Et il y a souvent une corrélation positive entre l'importance de cette masse critique et le degré de sophistication du secteur en question. Par exemple, quelques villages de bûcherons peuvent très bien suffire comme marché pour faire vivre une petite fabrique de manches de haches. En revanche, pour voir éclore une fabrique de meules à tailler le diamant industriel, il faut manifestement un marché plus vaste.

On rétorquera que l'exportation vient multiplier la taille du débouché potentiel, permettant le développement de secteurs de pointe dans des marchés intérieurs restreints. Admis ! Mais nul ne niera que règle générale, il est infiniment plus naturel et moins risqué d'utiliser ses propres consommateurs pour amortir le gros des coûts de mise au point d'un nouveau produit. Sans compter que l'utilisation par le marché national donne beaucoup de crédibilité à une marchandise ou à un procédé.

Le meilleur argument de vente du TGV français a toujours été qu'il relie déjà entre elles, très vite merci, plusieurs villes du territoire de l'Hexagone. Un train qui transporte des millions de passagers chaque mois se vend évidemment mieux qu'un concept de transport interurbain qui n'est visible que dans l'imagination de ses promoteurs.

Cette masse critique représente un avantage supplémentaire conféré aux grands pays (entendez population nombreuse et ressources variées). Elle favorise l'innovation et entretient le dynamisme. Elle explique en bonne partie le fait qu'en Amérique du Nord, la plupart des nouvelles idées, des nouveaux concepts de produits et de services originent des mégalopoles des côtes est et ouest, et non pas du Labrador, de l'Arkansas ou du Manitoba.

Mais dans le cas particulier du Québec, pour des raisons historiques évidentes, la France sert elle aussi de source de savoir. Même si c'est à un degré infiniment moindre, elle colonise le Québec au regard de la technologie, et ce surtout depuis les années soixante.

Après que son ingénieux avion Caravelle eut été boudé par Air Canada, la France a réussi une percée magnifique avec le métro de Montréal. Tout, dans ce sujet de fierté par excellence des Montréalais, est français : le concept, le système, le matériel roulant, le double support rail d'acier et ruban de béton, les tourniquets, les distributeurs de correspondances, le bleu des wagons (couleur que l'on retrouve sur les rames de la Régie autonome des transports parisiens mises en service à la même époque, c'est-à-dire au début des années soixante), etc.

Un autre coup de maître fut le stade olympique (du même Montréal et du même maire, lequel s'est retrouvé un jour délégué à l'UNESCO à... Paris), copie grande échelle du Parc des Princes de... Paris. Ici, il faut dire qu'il est loin d'être évident que la technologie indigène n'aurait pas fait mieux. Un dernier exemple :

les turbines du complexe hydro-électrique de Manic 5, françaises elles aussi.

De l'aveu même de son P.D.G., la firme Bombardier (entrée dans l'économie en chevauchant une machine infernale pensée et construite par et pour les gens d'ici) est passée dans les ligues majeures de la mécanique industrielle en appliquant à l'Amérique des licences étrangères — françaises au début, japonaises ensuite.

Ça aussi, c'est une forme de colonisation technique. Le génie particulier du colonisé Bombardier est de coloniser quelqu'un d'autre en retour, de transmettre en aval ce qui a été appris en amont. C'est peu glorieux, mais c'est malin et, pour le cas qui nous occupe, apparemment très lucratif.

Maintenant que le marché naturel de Bombardier a été divisé par cinq par l'Indépendance, ses stratèges et ceux des autres gros canons de l'industrie québécoise se demandent bien comment ils vont pouvoir jouer au colonisé colonisateur. Cette question, ils se la posent dans toutes les langues.

XIV

Les Anglais

« LES ANGLAIS SONT POIGNÉS, hypocrites, matérialistes, bruyants et longs. Ils mangent n'importe quelle cochonnerie pourvu qu'elle soit sucrée (genre p'tits gâteaux Vachon), boivent du Baby Duck, dévorent la télévision et la musique américaines, s'habillent mal et se marient jeunes. Ils habitent des maisons trop grandes munies de cuisines minuscules, d'immenses living rooms et de nombreuses toilettes. Ils écoutent de la musique western, ne veulent rien savoir du français et élèvent des enfants obèses. Quand ils sont vraiment bons, ils font comme Paul Anka et déménagent aux États-Unis (« *If you're so good, how come you never made it in the States ?* »). Leurs femmes ont souvent les yeux bleus et sont chaudes comme des glacières pendant que leurs hommes ne sont pas dragueurs pour deux sous. Leurs artistes rock chantent du nez. Ils boivent tout bien froid pour être certains de ne rien goûter ; ils pratiquent toutes sortes de religions plus ou moins catholiques ; ils vénèrent la reine, et encore plus la reine mère. Ils arrivent à vendre du Ice Wine du Niagara au prix fort jusqu'en Europe ; ils travaillent dur mais ne savent pas s'amuser ; ils sont incultes parce qu'ils n'ont pas lu la *Chanson de Roland* dans le texte ou ne peuvent pas apprécier l'humour d'Yvon Deschamps. Pour eux, un « Hab » est un joueur de l'équipe de hockey Les Canadiens (pour « Habitants », représenté par le petit « h » à l'intérieur du grand « C » qui décore les chandails des Glorieux). Ils n'utilisent jamais d'expressions françaises et universelles comme « cul-de-sac » et « bureau de change » (les Britanniques le font). Leurs filles ont des gueules de garçon et leurs garçons ont encore des *baby faces* à 40 ans. Ils ont de belles dents mais les fesses plates ; ils ne dansent que lorsqu'ils sont soûls ; ils font leurs emplettes en *sweat pants* ; ils lavent leur voiture au moins une fois par semaine. Ils savent préparer une grande variété de muffins tous plus délicieux les uns que les autres. Ils ferment les parcs municipaux à 11 heures du soir (Pardon ! Il s'agit plutôt d'Outremont, Québec). Les paroles du refrain de leur chanson française favorite sont « la la la, la la la ». Ils trouvent que les deux grandes stars du théâtre montréalais, Michel Tremblay et André Brassard, ont décidément l'air d'un couple *fag*. Ils vivent moins au-dessus de leurs moyens que les Québécois ; ils reconnaissent facilement la piètre qualité du français généralement parlé au Québec et ne sont pas intéressés à apprendre ce français-là ; ils rêvent tous d'être décorés « bénévole de l'année ». Ils ont la mauvaise conscience vis-à-vis l'Amérindien et l'environnement encore plus facile que les Québécois. Enfin, ils ne mangent pas de poutine. »

Ainsi parlaient Joseph Bleau et son cousin Jean Latrémouille.

Si seulement ce portrait était parfaitement fidèle ou totalement faux, ou encore si ces traits et caractéristiques ne s'appliquaient qu'aux Anglais, les choses seraient tellement plus simples.

Mais d'abord, qu'entendons-nous par « les Anglais » ? Contrairement à l'expression « Canadiens français », la réciproque anglaise recouvre une réalité démographique qui est loin d'être homogène. Vu du Québec et sans qu'on se pose trop la question, les Anglais sont tous ceux qui ne sont pas des Canadiens français moins, peut-être, les Amérindiens. Mais le chapeau canadien anglais est tout de même très large et coiffe une grande quantité de têtes bien disparates.

Sur un total de 25 millions de Canadiens en 1986, six millions étaient d'origine unique française et 6,3 millions se définissaient comme uniquement d'origine britannique (c'est-à-dire Anglais, Écossais, Irlandais et Gallois). Un surprenant sept millions étaient d'origines multiples. On peut donc estimer qu'un bon cinq millions de ce que nous appelons « les Anglais » n'ont pas grand chose d'anglais.

Ce sont principalement des « Anglais » d'origine allemande et autrichienne (920 000), italienne (710 000), ukrainienne (420 000), autochtone (375 000), chinoise (360 000), néerlandaise (352 000) et sud-asiatique (266 000). Les Juifs (246 000), les Polonais (222 000), les Portugais (200 000), les Scandinaves (172 000), les Noirs des Antilles et d'Afrique (170 000), les Grecs (143 000), les Philippins (93 000) et les Vietnamiens (53 000) comblent la majeure partie du « déficit ». Finalement, le Canada abrite plusieurs dizaines de milliers de Belges, de Finlandais, de Suisses, de Hongrois, de Russes, de Croates, d'Espagnols, d'Arabes, de Libanais, de Japonais, de Coréens, de Latino-Américains, etc.

De plus, bon an mal an, 40 000 nouveaux immigrants viennent grossir les rangs des déjà nombreux nouveaux Canadiens.

Ce que la grande majorité de ces gens ont en commun, c'est d'abord et avant tout l'utilisation de la langue anglaise pour communiquer entre eux. Il ne viendrait jamais à l'esprit d'un « Anglais » d'origine portugaise d'utiliser l'espagnol pour communiquer avec un autre « Anglais », réfugié salvadorien. En débarquant en Amérique du Nord, ces deux néo Canadiens ont adopté d'emblée la langue anglaise.

Il faut dire ici que, entendu par des oreilles européennes, cet anglais sonne très près de l'anglais parlé par les Américains, et ce au grand dam des principaux intéressés.

Au fur et à mesure qu'on s'enfonce vers l'Ouest, les deux peuples fondateurs sont de moins en moins seuls. C'est au Manitoba et en Saskatchewan qu'on observe la plus grande diversité ethnique. Il est intéressant de remarquer qu'en 1986, la province la plus homogène était Terre-Neuve. Sur cette île, 80 % des habitants étaient exclusivement d'origine britannique.

Le Québec arrivait au deuxième rang de l'homogénéité avec 78 % des répondants d'origine française. Notons qu'en 1990, ces deux provinces singulières occupaient les extrémités de l'éventail des dons de charité per capita : 220 $ pour Terre-Neuve, 140 $ pour l'Ontario et 80 $ pour le Québec.

Les Canadiens se mélangent passablement entre eux : en 1986 toujours, 17 % des habitants, soit 4,3 millions, d'habitants ont déclaré avoir deux origines ethniques. Sept %, soit 1,7 million, avaient trois origines ; enfin, 4 % (presqu'un million) ont mentionné descendre de quatre groupes ethniques ou plus.

Toronto, l'archétype de la ville anglaise dans l'esprit de tous les Québécois, est considéré par l'UNESCO comme l'une des métropoles les plus multi-ethniques au monde. En 1992, le système scolaire ontarien offrait des classes dans 62 langues.

Mais sont-ils monarchistes, au moins, ces Anglais ? Ceux d'origine britannique, assurément (sauf les Irlandais). Les Anglais nés italiens, polonais ou sikhs se fichent généralement de la reine d'Angleterre comme de l'an quarante.

Et les Chinois de la côte du Pacifique, par exemple, sont-ils chinois ou anglais ? Un peu des deux, mais surtout canadiens. En ce sens qu'ils vivent à l'américaine dans un pays tout de même moins périlleux que les vrais États-Unis, tout en conservant quelques moeurs chinoises (principalement les relations familiales, la cuisine et certaines croyances). Ils seraient très embêtés de devoir définir la « canadienneté », mais en même temps, ils ont l'impression d'être en train de le fabriquer, ce Canadien.

Un exemple extrême d'Anglais singulier nous est fourni par le cas des Mennonites de la région de Kitchener, dans le sud-ouest de l'Ontario. Cette communauté indubitablement distincte n'a pas besoin d'ériger une frontière autour de son territoire pour s'épanouir de façon originale. Personne, en effet, ne les empêche de dire « non merci ! » au machinisme et à l'individualisme. Leurs chevaux travaillent et broutent l'herbe comme le faisaient les chevaux de l'Abitibi au siècle dernier, complètement indifférents à la pénible recherche d'identité des Canadiens, qu'ils soient anglais, turcs ou inuit.

L'Anglais de vieille souche a quand même réussi à imposer son style à la façon canadienne de faire les choses : extrême politesse, sens civique ultra développé, recherche maniaque du compromis, culture de l'euphémisme et le reste.

La force d'émulation de cette « saveur » n'est nulle part plus facile à mesurer que dans une région de rencontre des deux principales cultures comme celle d'Ottawa-Hull. En traversant la rivière des Outaouais, une fois du côté ontarien du pont du Portage, l'automobiliste distinct de Hull va instinctivement ralentir et devenir plus respectueux des piétons et des cyclistes. En dépit du fait qu'il n'a pas appris à le faire chez lui, notre Québécois va effectuer un bel arrêt complet au feu rouge avant de pouvoir tourner à droite. Il prend le rythme de l'Anglais.

Inversement, notre Anglais d'Ottawa vous racontera qu'il a eu un plaisir *wild* dans les bars de Hull. Il s'adapte lui aussi. À moins qu'il ne lâche son fou tout simplement !

Si notre Anglais est né irlandais, il trouvera le Québec bien « platte » et n'en reviendra pas de se faire traiter « d'Anglais », lui qui déteste ces derniers de façon traditionnelle et viscérale.

Pour le Québécois qui appartient au deuxième groupe le plus homogène d'Amérique du Nord (après Terre-Neuve, indéniablement une société très distincte elle aussi), la diversité de ce qu'il appelle le Canada anglais est difficile à saisir s'il reste chez lui.

Il est tellement plus facile — et cela exige beaucoup moins d'effort intellectuel — de se boucher les deux oreilles et de continuer à croire que les Anglais, n'est-ce pas, ce ne sont que les gros méchants qui ont fait la conquête de la Nouvelle- France à l'occasion d'une bataille mémorable sur les plaines d'Abraham il y a un peu plus de deux siècles et quart, à peine quelques années après l'invention du paratonnerre par Benjamin Franklin (celui-là même qui ne réussira pas à convaincre les habitants canadiens de joindre les révolutionnaires des treize colonies), juste au début de la Révolution industrielle, 30 ans avant la Révolution française et 20 ans avant que les États-Unis d'Amérique, suite à une guerre d'Indépendance sanglante, ne deviennent une nation.

XV

Le nationalisme passé

LES INDÉPENDANTISTES QUÉBÉCOIS étaient — et sont toujours — nationalistes. Les souverainistes tout autant. Les fédéralistes pas moins, mais différemment.

Mais être nationaliste, qu'est-ce que cela signifie exactement ? Sans chercher dans le dictionnaire, c'est certainement quelque chose comme « agir en fonction des intérêts de son groupe national ». Cela implique-t-il que ce comportement soit adopté au détriment des autres groupes nationaux ? Oui si nécessaire, pas nécessairement oui.

Dans le cas particulier du Québec, être nationaliste a toujours voulu dire faire partie d'un carré de résistance à l'assimilateur anglais, alors que pour ce dernier, l'expression est synonyme d'affirmation de « l'identité » canadienne face à la trop séduisante Amérique. Bien évidemment, le même mot prend une signification infiniment plus dramatique pour le Tibétain persécuté par l'occupant chinois ou pour le Lithuanien qui a dû souffrir une annexion forcée pendant un demi-siècle.

En vérité, la notion de nationalisme est le plus souvent associée à une situation de joug politique subi. Les Italiens, seuls maîtres de la grande péninsule méditerranéenne depuis presqu'un siècle, n'ont plus besoin d'être nationalistes. Les Français non plus. Si cela est, ils seront patriotiques. D'une certaine façon, les nationalistes seraient des gens qui aspirent à devenir un jour des patriotes.

Ceci étant dit, n'est-il pas un peu gênant d'entendre des carriéristes politiques justifier en bonne partie le grand saut qui a été fait vers l'indépendance par l'idée de nationalisme ? Comme si, sous l'ancien régime fédéral, les Canadiens français comme groupe, et les Québécois en particulier, avaient été opprimés en tant que membres d'une nation ! Comme si l'électorat québécois, votant traditionnellement en bloc, n'avait pas à peu près toujours détenu la balance du pouvoir à Ottawa !

Comme si, vu des abords des Rocheuses, le pouvoir politique n'avait pas de tout temps appartenu aux deux provinces centrales (l'Ontario et le Québec) ! Poids démographique obligeait : qui se souvient aujourd'hui de la frustration des électeurs de Vancouver et de Calgary d'apprendre par la télévision qui formerait le prochain gouvernement fédéral avant même qu'ils n'aient eu tous le temps de se rendre aux urnes ?

En définitive, était-il possible, avant l'échéance fatidique de 1993, d'être en même temps un bon Canadien et un nationaliste québécois, de servir deux maîtres à la fois ?

Avec le recul conféré par les ans, cette position apparemment contradictoire s'avérait pourtant la plus adroite. En se servant du nationalisme canadien (bien réel lui aussi) comme amplificateur et comme tampon, les Québécois tiraient leur épingle du jeu en ce sens qu'ils n'avaient pas à affronter directement l'unique puissance hégémonique de la planète, dont le territoire — il n'est peut-être pas inutile de le rappeler — commence à 50 kilomètres au sud de Montréal.

En mettant le Canadien anglais dans le même sac que l'Américain, le nationalisme québécois s'est embourbé et s'est condamné à ne jamais passer à l'étape du patriotisme. En brisant une alliance contre nature en apparence seulement, nous nous sommes enfoncés encore plus profondément dans l'état de survivance confortable dans lequel la Conquête, d'abord, la colonisation américaine, ensuite, nous avaient installés. (Quand on est né pour un petit pain...)

Mais le nationalisme est une notion collective. Un individu est nationaliste pour servir les intérêts de sa nation, lesquels coïncident normalement avec les siens propres. Sur le continent de l'individualisme à outrance, le nationalisme peut-il rapporter ? Oui et non. Ça dépend pour qui, de la place qu'un individu occupe dans la structure sociale.

Pour l'étudiant qui a profité du Prêt d'honneur de la Société Saint-Jean Baptiste pour achever ses études universitaires, le nationalisme a marché. Pour l'avocat qui table sur sa connaissance exclusive du code Napoléon pour éloigner la compétition « étrangère » de son marché, le nationalisme garantit des honoraires. Pour le politicien qui se fera élire sur la seule consonance de son nom, le nationalisme catapulte au Parlement. Pour l'homme d'affaires qui peut payer ses employés un peu moins cher parce qu'il les sait relativement moins mobiles que ceux de son concurrent ontarien, le nationalisme signifie compétitivité accrue. Pour le chanteur populaire en début de carrière, le nationalisme représente cet ingrédient magique qui fait que ça « clique » plus facilement entre lui et son public en pâmoison.

Par contre, une fois tous ces gens lancés, le nationalisme peut facilement limiter leur vol. Si la collectivité québécoise se composait de 100 millions d'individus, l'étudiant devenu ingénieur en aéronautique n'aurait pas assez d'une pleine carrière pour épuiser son potentiel d'épanouissement. Son marché serait à la grandeur de ses ambitions. Idem pour l'homme d'affaires et le chanteur pop.

À moins de traverser l'Atlantique dans le sens inverse de celui emprunté par leurs ancêtres, ces individus auront à choisir entre se river le nez sur le mur du petit nombre et plonger dans l'eau inhospitalière de la mer anglophone. Notons que le billet aller seulement pour Paris représente souvent la solution adoptée par les artistes qui ont besoin d'un public vaste pour rentabiliser leurs créations. Pour notre ingénieur, par contre, la déjà longue file d'attente au guichet des permis de travail pour la France passe maintenant par tous les pays de la Communauté européenne.

Pour le technicien spécialisé, le nationalisme joue un rôle ambigu. Il peut très bien lui insuffler la fierté qui l'aidera à compléter un grand barrage en temps supplémentaire (payé à taux double !). Mais il peut également permettre à certains de soutirer au public consommateur cette convention collective en or que la nation se doit d'accorder à ses enfants les plus méritants — d'autant plus qu'ils se sont vite rendus indispensables. Même chose pour le travailleur syndiqué solide du secteur public, lequel viendra former le deuxième pilier d'une aristocratie prolétarienne bien à nous.

Dans le cas de l'ouvrier qui gagne sa croûte dans les établissements privés du nouveau pays, le nationalisme représente de plus en plus une chaîne qui le confine à son étroit marché du travail. Pour qu'en son nom ses très nombreuses élites puissent mener l'expé-

ience nationale jusqu'au bout, sa mobilité est main-
enant réduite aux vallées du Saint-Laurent, du Saint-
Maurice et du Saguenay — grosso modo. Et en
mérique, qui veut améliorer son sort matériel doit
tre prêt à aller là où le travail se trouve. Telle est la
ature du marché de l'emploi, une bourse où les jobs,
ontrairement à la croyance entretenue par trop de
nédias, ne sont pas créés par les gouvernements,
nais par les entrepreneurs.

Pendant que la plupart des nations sûres de leur
dentité continuaient de s'agglutiner pour offrir à leurs
ntreprises cette masse critique qui, seule, permet
'affronter les poids lourds japonais et américains, les
ien pensants nationalistes de chez nous ont réussi à
onvaincre les électeurs que ce qui était bon pour le
este du monde était mauvais pour nous. Que nous
tions à ce point singuliers qu'il nous fallait rapetisser
ollectivement pour mieux grandir individuellement.

Et tant pis si, comme le chantent depuis dix ans
l'unisson les Français et les Anglais de la nouvelle
urope, le nationalisme est *passé*.

XVI

La société distincte

COMME CHACUN LE SAIT, ce qui a amené un
majorité de Québécois à voter pour l'indépendance .
été la réticence du reste du Canada à considérer la na
tion canadienne française comme une société dis
tincte à l'intérieur de l'ensemble canadien.

Il faut dire ici qu'au Canada anglais cette posi
tion avait été loin de faire l'unanimité. Les classes in
tellectuelles et cultivées étaient en général prêtes .
concéder au Québec son caractère distinct, même si l
terme « distinct » a en anglais une connotation de lé
gère supériorité. En fait, le mot anglais *distinct* se ren
assez bien en français par « distingué », c'est-à-dir
qui se distingue, se différencie du populo par une cer
taine noblesse dans le port et la manière de vivre. Un
fille bien élevée aspire à devenir une femme distin
guée.

Tolérante quasiment jusqu'à la lâcheté, cette par
tie libérale de la population canadienne anglaise n
trébuchait pas dans la sémantique et considérait l
société « distincte » comme l'un des prix à payer pou
conserver l'intégrité territoriale du Canada. Le blocag
politique ne venait donc pas de ce côté.

Ceux qui ne voulaient rien savoir de la *distinc*
society formaient cette masse de *Canadians* pour qu
les Québécois et leur caractère français étaient de
empêcheurs de tourner en rond. Pour eux, les chose
— que ce soit le politique, le linguistique, l'économi

ue ou le culturel — auraient été infiniment plus simles si le Québec avait été *Quebec*, sans l'accent aigu. Pour ceux-là, le Canada, pays relativement modeste qui souffrait déjà d'énormes problèmes de cohésion, ne pouvait se permettre de voir une province centrale être dotée de pouvoirs et de prérogatives auxquels les autres n'avaient pas droit.

Pour ces affreux réactionnaires, l'idéal d'égalité des chances transcendait celui du droit à la distinction légale, à la différence constitutionnellement reconnue. Ces irréductibles égalitaires — qui appartenaient le plus souvent à des petites provinces sans grand poids politique — ne pouvaient pas admettre qu'une province à leurs yeux déjà surreprésentée au niveau fédéral se voit conférer des privilèges et des droits de veto. Ils voulaient l'égalité pour tous et, les lois linguistiques aidant, avaient de plus en plus le sentiment de ne plus être les bienvenus au Québec.

Il faut dire à leur décharge que ces *rednecks* égalitaires sortaient de deux décennies de programmes gouvernementaux de toutes sortes visant à biaiser les chances de gagner au concours des bons emplois. Pendant plus de vingt ans, ils s'étaient fait dire que quelqu'un — en l'occurrence eux — devaient expier pour les péchés de discrimination commis par les générations antérieures. Ces réactionnaires avaient vite compris que le fait de n'appartenir à aucun groupe minoritaire supposément victime d'injustices à une époque où eux-mêmes dormaient encore dans les limbes constituait aujourd'hui un handicap. Ils avaient eu beau rétorquer que *two wrongs don't make a right*, on leur avait attaché un boulet aux pieds lors de l'inscription à la course à l'avancement professionnel. Selon eux, le concept de discrimination positive représentait

une contradiction dans sa formulation même. Pou
ces gens, les Canadiens français formaient, juste de
rière la cohorte innombrable des femmes, le plus im
portant des nombreux groupes minoritaires avantag
par ces politiques.

En se distinguant de façon officielle, le Québec s
fermait à eux et les cantonnait dans le rôle d'éterne
back benchers de la politique canadienne. Malgré le
risques de sécession, ils avaient donc dit « *no* » à l
distinction politique d'une province qu'ils voyaien
bien peu différente des autres — abstraction faite de l
langue et de la culture, *it goes without saying*.

Plus forte dans les déclarations provocantes et in
tempestives que dans la livraison de longs discou
ronronnants et rassurants parce que vides, cette majo
rité d'égalitaires eut vite fait de convaincre le Québe
que, si ce dernier voulait occuper d'office le siège ave
fenêtre sans payer de supplément, il lui faudrait loue
son propre autobus. Ce qu'il fit.

La société distinguée

LA SOCIÉTÉ DISTINGUÉE

(ou L'UTOPIE À PEINE UTOPIQUE)

MAINTENANT QUE LE QUÉBEC est enfin indépen-
ant, il a toute latitude pour mener à bien son projet
e société bien à lui. Aux quelques sceptiques qui se
emandent encore ce que la classe politique entendait
ar l'expression « société distincte », la nation enfin
bérée du carcan fédéraliste n'a pas attendu l'effon-
rement total de son ancien partenaire pour répondre
ar un irrésistible élan de créativité. Les résultats at-
eints par l'imagination au pouvoir sont d'ores et déjà
robants.

À un point tel que la plupart des Québécois n'ont
ujourd'hui aucune gêne à se présenter comme mem-
res d'une société véritablement distinguée. Distin-
uée dans ce sens qu'elle a trouvé des solutions
riginales, et le plus souvent carrément supérieures,
ux principaux problèmes qui confrontent les sociétés
ontemporaines.

Pour l'observateur appelé à la décrire, la société
istinguée qui forme la République de Poutine de l'an
003 représente un véritable ravissement de la plume.
Malgré notre enthousiasme, essayons de procéder de
açon systématique. Considérons une série de défis
ommuns à toutes les collectivités modernes et
oyons comment la société distinguée les a relevés de
açon créative.

LA SOCIÉTÉ DISTINGUÉE ET...

XVII

… *l'environnement*

À L'ÉPOQUE DU RÉFÉRENDUM de 1993, l'environnement n'était pas tout à fait la principale préoccupation des Québécois. Non pas que le Québec fermait la marche du mouvement écologique, mais l'absence d'un parti vert digne de ce nom sur la scène électorale montrait bien qu'il était loin de se maintenir dans le peloton de tête des défenseurs de la nature.

Heureusement cependant, dans ce domaine comme dans beaucoup d'autres, nous avions été colonisés (dans ce cas-ci, c'est-à-dire éduqués) par nos voisins du Sud. Mais le processus avait été lent : en dépit de la force de l'exemple, le slogan « *Don't Be a Litter Bug* » avait mis trente ans à trouver son équivalent chez nous ; même chose pour « *Keep Vermont Green* ». C'est pour cette raison que les amateurs de voile qui tenaient à naviguer sur des eaux limpides bourlinguaient sur le lac Champlain, aux États-Unis. L'essence sans plomb n'avait pas été exactement inventée à l'École polytechnique, pas plus que le convertisseur catalytique, et les *warriors* d'Oka pouvaient se présenter comme les défenseurs de l'environnement — grâce à la pinède symbolique — sans que les gens ne se roulent par terre pour mieux rire.

Ce retard, c'était avant. Une fois le cadre politique réduit à notre mesure, nous avons tout de suite réorganisé notre fonctionnement sociétal en tenant compte de la protection de l'environnement. Par conséquent, le

projet de société du Québec a enfin pu se définir d'un
manière qui pouvait faire l'unanimité.

La mobilisation fut aussi générale que national
Pour bien montrer aux Ontariens et aux Albertain
que nous n'étions pas en reste vis-à-vis l'environn
ment, toutes les villes du Québec ont décrété le 1
avril jour du Grand Ménage.

Tôt le matin, des groupes de jeunes de 7 à 77 an
munis de sacs verts et chaussés de solides bottes d
caoutchouc se rassemblent à des endroits convenu
Une fois divisés en brigades et en sections, on leur as
signe qui une rue, qui un terrain vague, qui un bord d
route, qui les berges d'un ruisseau ou d'une rivièr
Toute la journée, ces citoyens amoureux de leur mi
lieu physique de vie vont s'attaquer aux papiers gras
boîtes de conserve vides, sacs de croustilles, paquet
de cigarettes et autres *eye sores* qui, autrement, au
raient pollué le tapis de verdure que le printemps en
fin revenu a déjà commencé à dérouler sous nos pas.

Dès le début de cette opération d'envergure natio
nale, les organisateurs ont remarqué que les « cueil
leurs » de cochonneries ne trouvaient que très peu d
mégots de cigarettes à bouts filtres imputrescibles o
de bandes élastiques qui servent aux facteurs à atta
cher leurs paquets de lettres. L'explication de ce phé
nomène qui méduse plus d'un spécialist
international est très simple et tient au caractère lati
des Québécois.

Comme le chante si bien un poète de chez nous
« les gens de mon pays sont des gens de parole... »
C'est-à-dire qu'ils s'expriment, qu'ils disent ce qu'il
pensent aux pollueurs, qu'ils n'hésitent pas à engueu
ler publiquement les contrevenants aux règles les plu
élémentaires du civisme. Ainsi donc, à force de s

aire rabrouer par les ménagères et les ménagers qui
n avaient plein le dos de trouver des bandes élasti-
ues sur leurs perrons, sur leurs pelouses et sur leurs
rottoirs — en un mot, sur leur Terre —, les facteurs
uébécois ont vite mis fin à cette sale habitude de
aisser choir les fameuses bandes. Au Québec, les li-
reurs de missives, de factures et de courrier impor-
un récupèrent consciencieusement ces attaches pour
ue la Société des postes puissent les réutiliser. Nous
aisons l'envie des provinces canadiennes et des au-
res pays.

Pour les mégots de cigarettes, les fumeurs cochons
ont domptés par un peu tout le monde. Les prome-
eurs réprimandent vertement les autres piétons fu-
neurs qu'ils voient jeter des mégots par terre. Quand
ın automobiliste aperçoit un de ses congénères faire
lon de son reste de cigarette à la nature, il donne trois
oups de klaxon : deux courts et un long. Ce code s'est
ite répandu dans tout le pays et au-delà.

Il arrive souvent que des activistes — piétons, cy-
listes et automobilistes — relancent dans la voiture
lu mécréant le mégot fumant que celui-ci a discrètement laissé tomber sur la chaussée en attendant le
assage au feu vert. Si, d'aventure, ce geste de juste re-
our des choses est suivi d'une altercation, le pollueur
isque fort de se faire chanter des bêtises par la foule
les passants. C'est que « les gens de mon pays sont
les gens de parole... ».

N'allons surtout pas croire que les Québécois
aient décidé de se mobiliser à la mi-avril pour se donner bonne conscience pendant quelques semaines et
laisser libre cours à leurs penchants salauds le reste
de l'année. Pas du tout ! Les gens vivent maintenant
selon un code de l'environnement qui touche tous les

aspects de leur quotidien. Malgré cela, des décenni
de salissage ont laissé leurs traces et seules des m
sures politiques de mobilisation générale en viendron
à bout.

La nouvelle république a vite compris qu'une e
cellente façon de se distinguer consistait à utiliser
plus grande partie possible de ses ressources h
maines, y compris les assistés sociaux. Non pas que
République de Poutine songe à renoncer à ses re
ponsabilités envers les plus démunis. Loin de là. Ma
parce qu'un pays s'érige mieux en s'appuyant sur to
ses éléments constitutifs, il a été décidé d'exiger d
bénéficiaires du Bien-être social (tout de même u
énorme 10 % de la population) qu'ils contribuent
l'effort commun de balayage dans la mesure de leu
modestes moyens.

On a donc élaboré une méthode qui couple le n
veau des prestations au nettoyage de l'environnemen
Cette formule, qui ne s'applique qu'aux récipiendair
en bonne santé, veut qu'une portion du chèque d
Bien-être social soit proportionnelle à la quantité d
rebuts ramassés. Deux fois par semaine, des autob
scolaires et leurs chauffeurs — qui jusqu'ici perdaie
leurs journées à attendre dans les cours d'école –
amènent des groupes d'assistés sociaux vers les poin
de cueillette.

Il y a bien toutes sortes d'obstacles et de difficu
tés administratives, comme les assurances et l'obse
sionnelle sécurité, mais la société distinguée a, i
encore, fait preuve d'imagination et elle a trouvé d
solutions pratiques et originales.

Un seul hic : le programme est tellement effica
que les spécialistes calculent qu'au train où vont l

hoses, on se retrouvera à court de déchets à ramasser l'ici sept ans.

Mais l'environnement, c'est plus que le ménage, nême à la grandeur du pays. Nettoyer, c'est bien ; ne as salir, c'est encore mieux.

Les citoyens de la nouvelle république qui s'épaouit dans le nord-est de l'Amérique sont en train de lévelopper une véritable culture de l'environnement. Rejetant certains enseignements fondamentaux de la eligion catholique, ils se sont resitués par rapport au osmos. Dans une manifestation remarquable d'hunilité, les femmes et les hommes du Québec ne se onsidèrent plus comme étant placés au centre de la réation — ou comme représentant l'aboutissement inal de l'évolution.

Nous avons maintenant conscience de n'être u'une pièce non essentielle dans une mécanique à la ois riche, complexe et délicate, cette pièce ayant la ropriété quasi exclusive de pouvoir détruire toutes les utres. Que ce soit par respect pour le Dieu créateur, ar émerveillement devant la richesse et la diversité es formes de vie avec qui nous partageons la planète, u encore par simple courtoisie envers notre hôte, erre. qui nous reçoit si généreusement, nous avons laboré une philosophie qui commande des relations ui soient les plus harmonieuses possibles avec notre nilieu physique.

Alors que d'autres font table rase du cadre matériel pour ériger leurs cités, les Québécois savent marier leurs habitats à la nature environnante. Pendant u'une majorité de Nord-Américains sacrifient encore u veau d'or de l'individualisme, les membres de la ociété distinguée vivent plus serrés les uns contre les utres pour réduire à son minimum la place occupée

(et, retombée indirecte mais non négligeable, conti
buer à diminuer le niveau de solitude des citoyens
C'est ainsi que les bungalows individuels à la califo
nienne sont choses du passé, que les transports e
commun gagnent en popularité, que les rues des vill
sont plus étroites et plus arborées (petites voitures
vélos le permettant), que les édifices publics se voie
utilisés d'une manière beaucoup plus intense, etc.

Dans le Québec d'après l'Indépendance, le *bu
word* est « recyclage ». Le mot « mode » fait sourire
le pays est en voie de devenir le champion mondial
la récupération. Les compteurs d'eau sont maintena
installés partout et la tarification est progressive, po
décourager la dilapidation de la ressource aqueuse.

Les carrefours ornés de quatre postes d'essen
sont maintenant la marque de commerce exclusive
reste de l'ancien Canada. Ici, on est raisonnable et
gaspillage n'est pas toléré. Pour donner l'exemple,
ville de Montréal a converti sa flotte de véhicules ut
litaires au gaz naturel, à peine vingt ans après plu
sieurs villes ontariennes.

Le projet de société original et québécois, c'e
donc également des rapports entre l'homme et so
environnement qui sont empreints de respect
d'harmonie.

On dira qu'il n'était pas nécessaire de changer
cadre politique de la nation québécoise pour dévelop
per et vivre cette philosophie sociale, que ce qu'on ap
pelait le carcan fédéral n'interdisait absolument pa
de prendre le virage écologique, mais ça, c'est une au
tre histoire.

XVIII

... l'énergie

MÊME SI SON SOUS-SOL ne recèle ni pétrole, ni az naturel, ni charbon, le Québec ne manque pas d'é-ıergie, laquelle prend la forme de bois et, surtout, de ascades d'eau alimentées par les précipitations qui 'abattent sur ses vastes étendues nordiques. Cette nergie cinétique se renouvelle au fil des saisons par es averses de pluie et de neige ; il n'y a plus qu'à la ;analiser par des barrages.

Les pays fortunés sont ceux qui sont dotés d'un ›u de plusieurs avantages comparatifs importants. La 'loride attire les vacanciers avec son soleil, ses fruits rais et ses plages ; le Nevada s'est donné une morali-é légale assez libérale par rapport à celle de la Califor-ıie pour en appâter (ainsi que du puritain Canada) les ésidents qui y flambent des centaines de millions de lollars chaque mois ; le Botswana extrait des dia-nants des entrailles de ses déserts ; le Bordelais dis-ille des grands crus fabuleux à partir de cépages qui ıffectionnent les terroirs de ses coteaux ; Taïwan ıbrite une population extrêmement industrieuse ; les ıauts-fonds de Terre-Neuve sont visités régulièrement ›ar de riches bancs de poissons du même nom ; la Ré-›ublique de Poutine déborde d'hydro-électricité.

Jusqu'à l'Indépendance, c'était tellement vrai que es Québécois gaspillaient allègrement le précieux lux. Les voyageurs étrangers remarquaient que la plu-›art des habitations et édifices étaient surchauffés en

hiver et surclimatisés en été. Loin de s'adapter un ta
soi peu aux changements extrêmes entre les canicul
estivales et les vagues de froid hivernales, ces Nor
Américains distincts semblaient réagir d'autant pl
fortement que le thermomètre oscillait grandement.

Résultats : sous peine d'attraper un très contr
riant rhume d'été, les belles secrétaires qui avaient
générosité de partager une partie de leurs atouts av
les passants dans la rue devaient s'assurer de gard
un épais chandail de laine au bureau. À l'inverse, l
gens avertis et précautionneux qui s'emmitouflaie
pour affronter les rigueurs de l'hiver au dehors ri
quaient fort, une fois à l'intérieur, de connaître les a
fres de la lente cuisson à l'étuvée dans leur prop
transpiration.

Comme l'électricité n'était pas chère, les Québ
cois avaient, au fil des ans, transformé leurs route
rues, ruelles, cours de voitures neuves et usagées, st
tionnements et parcs urbains en véritables arbres
Noël à l'année longue. À un point tel que les enfan
des villes en étaient réduits à s'enfermer dans le pl
nétarium Dow de Montréal pour pouvoir admirer u
firmament d'étoiles électriques projeté par l'appare
de monsieur Carl Zeiss.

Ça, c'était avant l'avènement de l'Indépendanc
Maintenant que le Québec est libre et que la sociét
distincte est devenue distinguée, le nouveau memb
des Nations unies a entrepris d'utiliser sa principa
richesse naturelle de façon parcimonieuse. Réalisa
enfin que le gaspillage n'a pas plus de justificatio
économique qu'il n'en a de morale, le pays est en trai
d'établir un modèle de consommation qui fait l'env
de ses voisins et le bonheur de ses poètes.

On a commencé par débrancher les dizaines de milliers de lampadaires qui éclairaient chacune des bretelles des autoroutes. (Ici, permettons-nous une petite digression pour expliquer qu'une bretelle, c'est ce que les Américains appellent *ramp* et les Québécois une « sortie » quand ils confondent l'outil et la fonction. Après l'Indépendance, la Voirie du Québec a décidé de faire comme le ministère des Transports de l'Ontario et celui du Nouveau-Brunswick qui, eux, avaient adopté ce terme juste dès le début des années quatre-vingts.)

Les bretelles, pour parler comme les Ontariens, se passeront dorénavant de leurs lampadaires. Les automobilistes ne s'en plaignent pas, car ces chandelles de mercure les aveuglaient plus qu'elles n'éclairaient leur route. C'est peut-être pour cette raison qu'elles sont si rares sur les autoroutes de la Nouvelle-Angleterre.

Pour compenser, on a pu éviter un effort d'imagination en empruntant (encore à l'Ontario qui, province pourtant plus riche, n'avait jamais pris la peine de planter ces affreux cierges) l'idée très simple et peu coûteuse d'installer une multitude de petits réflecteurs le long des routes et autoroutes. Ça ne coûte rien en énergie, non plus que ça n'éblouit les conducteurs. Parlant d'éblouissement, la Voirie a récemment pris des mesures pour forcer les agriculteurs à régler leurs « lampes de cultivateur » de façon à ce que leur lumière frappe leur cour plutôt que la rétine de l'automobiliste qui passe à 50 mètres de là.

Pour la réduction de la pollution lumineuse dans les villes, le coup d'envoi a été donné par hasard, ou plutôt par coïncidence. Il y a cinq ans, en juin 1998, alors que la Hollande s'affairait à ravir la foule mon-

trélalaise dans le cadre du Festival des Feux d'artific
une panne de courant a frappé tout le secteur du pon
Jacques-Cartier. Ainsi, comme aucun éclairage électri
que n'entrait en compétition avec les pétards et fusée
multicolores du spectacle, des milliers de citadins pu
rent enfin mesurer tout le sens de l'expression « féeri
lumineuse ».

Le lendemain de la providentielle panne, un édi
torialiste un peu poète sur les bords rappelait à se
lecteurs qu'une lumière dans la nuit est d'autant plu
magique que la nuit est noir d'encre. N'importe que
aborigène analphabète le sait depuis toujours, mai
les urbanisés électrifiés que nous sommes avaient en
core à le découvrir.

Après les feux d'artifice véritablement nocturne
ce fut au tour des parcs municipaux d'enfin connaît
l'obscurité. Après qu'on eut scientifiquement démon
tré que les multiples lampadaires servaient les voleur
autant qu'ils les chassaient (en les aidant à repére
leurs victimes), les parcs devinrent pratiquemen
noirs après 23 heures. Il y a bien quelques vieille
dames qui s'en apeurèrent, mais les amoureux qu
eux, s'envoient maintenant les jambes en l'air pou
étrenner ce nouvel alcôve font remarquer à ces dé
votes de la sécurité emprisonnante que de toute faço
elles ne sortent jamais après huit heures du soir.

Cédant aux pressions de l'Association des ro
mantiques du vécu, plusieurs villes de la nouvelle ré
publique viennent de prendre une mesure d'économi
d'énergie dont on parle avec envie jusqu'à Perth e
Australie.

Les soirs de pleine lune ou de quasi pleine lun
— en moyenne cinq ou six jours chaque mois —
quand la météo annonce un ciel dégagé, on éteint tou

simplement tout ce qui est lumière électrique non absolument essentielle. La lueur magique qui baigne alors le pays est tellement douce et apaisante que les corps policiers rapportent une diminution marquée des crimes violents pendant cette période bénie.

Les démographes, inquiets à juste titre de la pérennité de la race, ont commencé à relever des pointes d'activité de reproduction qui correspondent justement aux périodes du cycle lunaire. Inutile de dire que le gouvernement du nouveau pays souverain encourage maintenant fortement ce genre d'économie d'énergie.

Le principal défi des compagnies d'électricité a toujours été de lisser la courbe de la demande d'énergie. Réserve faite pour l'entretien, les installations de production de courant (essentiellement des barrages hydro-électriques dans le cas qui nous occupe) doivent pouvoir satisfaire à la pointe annuelle de la demande, laquelle se situe traditionnellement autour de 17 heures vers le 21 décembre.

Une fois soufflées les chandelles au mercure des autoroutes, il n'a pas été trop difficile de convaincre les municipalités de n'allumer que la moitié de leurs lampadaires — et encore moins dans les quartiers résidentiels — avant 20 heures.

Pour étaler encore davantage la consommation, les compteurs électriques tournent maintenant à demi-régime, c'est-à-dire à moitié prix, à partir de neuf heures du soir jusqu'à six heures du matin. Inutile de dire que plusieurs appareils électriques comme les chauffe-eau sont maintenant équipés de minuterie.

Du côté de l'essence, les Québécois n'ont pas eu besoin de se voir imposer des taxes progressives en fonction de la cylindrée pour passer en masse aux petites voitures. En bons automobilistes distincts des autres Nord-Américains, ils avaient cessé depuis belle lurette de mesurer leur ego à la jauge de l'empattement ou du nombre de pistons sous le capot. En consommateurs avertis, ils ont toujours exigé que leurs automobiles soient munis de chauffage pour la lunette arrière (climat oblige et exemple de la Suède inspire).

Enfin, pour le plaisir de conduire et de substituer 10 % de carburant fossile par quelques ergs de travail cérébral, toutes ces montures de métal à quatre roues sont entraînées par des boîtes de vitesse manuelles à cinq rapports.

Depuis que tous les coûts ont été pris en compte, bien peu de camions-remorques peuvent entrer en concurrence avec le train, au pays du Québec indépendant. Résultats : moins d'accidents graves sur les routes, moins de chaussées défoncées par les poids-lourds, moins de nerfs épuisés d'avoir à côtoyer des mastodontes de 18 roues. Tous ces bénéfices sont acquis au prix de délais plus longs dans la livraison des marchandises ; la société distinguée accepte de bon coeur de patienter un peu.

Les Québécois, ayant remarqué depuis longtemps que le soleil n'était pas très généreux envers eux, ont enfin décidé de faire contre mauvaise fortune bon coeur et d'en tirer le meilleur parti possible. Cette approche malheureusement nouvelle trouve sa plus belle application dans la disposition et le dessin des habitations.

Alors que les autres habitants de l'Amérique du Nord construisent leurs maisons en fonction de la rue et des voisins, les Québécois implantent dorénavant leurs logis en tenant compte d'abord et avant tout de l'étoile de moyenne grandeur autour de laquelle nous tournons. Plus sensualistes que cartésiens malgré leurs origines françaises, ils se fichent bien du dessin de la rue dans l'alignement de leurs maisons. Pour eux, la ligne qui prime sur toutes les autres est la ligne est-ouest. Les municipalités suivent : l'orientation des rues des nouveaux quartiers fait maintenant partie des paramètres pris en compte par les concepteurs des plans de développement urbain.

Le modèle type de la maison québécoise est construit de façon à ce que ses occupants puissent profiter pleinement de la chaleur solaire. À cette fin, son plan est tracé en fonction de la course de l'astre de vie : les principales chambres à coucher sont installées à l'est pour un réveil en lumière ; le vivoir et la salle de jeux font face au sud pour donner le maximum de vitamine D aux enfants et aux autres occupants ; la cuisine et la salle à manger regardent vers l'ouest, question de ne pas trop manquer de couchers de soleil ; les salles de bains et les toilettes, parce qu'on n'est pas censé y passer le plus clair de son temps, affrontent les vents froids du nord.

Le garage, jamais démesuré comme ces monstres à deux ou même trois portes que l'on ne retrouve qu'au Canada et aux États-Unis, est également toujours placé au nord de l'habitation pour servir de première ligne de défense contre le froid.

Les fenêtres sont à l'avenant : de grandes ouvertures là où la maison peut profiter de la chaleur d'Hélios ; de petites fenêtres au nord, question de favoriser tout de même la circulation de l'air lorsque nécessaire. La demeure d'ici a désormais plus que les escaliers extérieurs pour se singulariser.

Pour les nantis qui peuvent se permettre un tant soi peu d'aménagement paysager, on remarque que le genre d'arbres plantés est fonction de leur situation par rapport à la maison. Les conifères — traditionnellement utilisés comme brise-vent par les cultivateurs canadiens français — sont toujours placés du coté nord, pour aider à abriter la demeure de la bise hivernale. Devant, là où une protection contre l'ardeur du soleil d'été s'impose, les feuillus sont de mise. Tous les Québécois maintenant indépendants politiquement ont compris que le rôle d'un arbre feuillu changeait avec la succession des saisons : parasol en été, filtre partiel au printemps et en automne, minimum d'écran en hiver pour laisser les rayons du soleil inonder la maison. À condition, il va sans dire, de planter les feuillus du côté sud.

Pour les habitations qu'il est impossible de marier à des arbres, on a recours à des stores vénitiens blancs qui réfléchissent les rayons trop chauds de l'été. Ainsi, on réalise des économies substantielles de climatisation qui, couplées aux épargnes de chauffage obtenues l'hiver par l'apport direct du soleil, font dire aux observateurs jusque là incrédules que la République du Québec forme décidément une société distinguée.

Mais, était-il nécessaire de se séparer du Canada anglais pour atteindre ces beaux résultats ? Que ceux et celles qui le croient lèvent la main !

XIX

... la guerre des sexes

ELLE N'AURA PAS LIEU. La société distinguée, c'est un îlot de paix dans la mer nord-américaine du conflit permanent entre les deux principaux sexes. La République de Poutine de l'an trois du troisième millénaire de l'ère chrétienne, c'est un coin de la planète où les rapports entre hommes et femmes sont placés sous le signe de la complémentarité plutôt que de la concurrence, de la compréhension plutôt que de l'intolérance, de la curiosité réciproque plutôt que de la hargne... En un mot trop souvent galvaudé, de l'amour.

Dans ce domaine comme dans d'autres, la vague féministe qui, poussée par les vents du sud, avait déferlé sur le Québec dans les années soixante-dix était venue bien près de tout emporter sur son passage. Quand nos épouses et nos maîtresses lurent les épîtres traduites d'idéologues féministes américaines qui racontaient le triste sort fait aux femmes dans le pays le plus riche de la planète, elles se remémorèrent leurs mères qui, obéissant aux consignes de curés célibataires, avaient mis bas des flopées d'enfants pour assurer le salut de la race.

« Nous aussi, avaient-elles failli dire, nous sommes exploitées. » Après tout, n'était-il pas vrai que les postes de secrétaires étaient moins bien rémunérés que ceux de gestionnaires ; que les femmes étaient plus souvent victimes d'agression sexuelle que les hommes (sauf dans les prisons et les collèges pour garçons, il va sans dire) ; que les mères avaient été condamnées par le Créateur — un homme, à en juger par le genre de son nom, du moins en français — à porter les bébés dans leur propre ventre pendant une période de neuf mois ; qu'ayant des attraits sexuels plus évidents — la rondeur d'un fessier et la ligne d'un sein sont quand même plus faciles à apprécier que la dimension potentielle d'une érection, surtout quand le pénis est au repos au fond du pantalon —, les femmes québécoises devaient subir les regards lubriques des mâles amateurs des beautés de la Nature (du genre féminin, celle-là).

Comme leurs voisines américaines, plusieurs femmes d'ici avaient beaucoup de mal à admettre que en règle générale chez l'espèce humaine, les mâles ont un poids osseux et musculaire plus important que les femelles. Après s'en être prises aux valeurs transmises par l'éducation pour cet état de fait biologique, certaines, plus instruites, avaient pu y voir le complot des hormones (encore un féminin), lesquelles font transformer le sucre en muscle ou en graisse, selon leur nature (de l'hormone).

Une minorité vociférante avait bien essayé d'utiliser à fond l'astuce de la rationalisation politique d'états physiologiques singuliers comme un déséquilibre hormonal (l'hypertrophie de l'hypothalamus), un hermaphrodisme discret ou encore une homosexualité latente, mais l'aspect physique de ces militantes à moustache avait rebuté plus d'une femme.

À tout événement, trouvant tout cela bien compliqué, l'immense majorité des filles de la société distinguée avaient renoncé à se transformer en hommasses et s'étaient mises à tabler sur les avan-

ages propres à leur beau sexe pour améliorer leur
ort. Remarquant que l'économie post-industrielle
nultipliait les emplois dans le secteur des services —
à où la matière grise compte plus que la fibre muscu-
aire —, elles étaient entrées sur le marché du travail
ans se demander pourquoi leurs aïeules, à l'époque
le l'économie dominée par le secteur primaire (mines,
oresterie, etc.), n'avaient pas fait de même. Pour ces
emmes de chez nous dotées de cette culture qui
onfère un certain sens de la perspective historique,
'évidence de la réponse rendait la question superflue.

Ici, très peu de femmes de carrière essayaient de
aire jouer la culpabilité historique pour faire avancer
eur... carrière. On se serait esclaffé si quelqu'une avait
ancé : « comme il était pratiquement impossible pour
na grand-mère vivant au début du siècle de devenir
nédecin, j'ai droit à un traitement de faveur pour en-
rer à la faculté de médecine ». On se serait tapé sur
es cuisses parce que tout le monde, au Québec, savait
ertinemment bien que les besoins et les moyens de
otre société étaient complètement différents il y a 75
ns. C'est ça, la perspective historique.

Ces considérations avaient sauvé — de justesse,
l faut le dire — plusieurs mâles chambranlants de la
astration psychologique. Pour remercier ses soeurs
l'avoir épargné son sexe, l'homme d'ici décida donc
le se comporter dorénavant en vrai-homme-nouveau
t entreprit de traiter sa compagne en égale qu'il faut
avoir respecter et protéger, et sa femme en reine qui
nérite d'être adulée.

Ici, contrairement à ce qui semblait se passer
lans l'autre société nord-américaine, l'harmonie so-
iale comprenait la bonne entente entre les sexes.
'homme et la femme jouaient des rôles différents,

certes, mais reconnus d'égale valeur. Dans notre so
ciété sensiblement moins matérialiste que l'autre, l
vie était plus valorisée que la chose. Les héros natio
naux et les modèles étaient choisis pour leur apport
la communauté, et non pas pour le nombre de zéro
qu'ils pouvaient faire aligner sur un contrat. Comm
le Québec avait de sérieux problèmes de natalité, le
mères — et les pères — de familles nombreuses rece
vaient autant d'honneur que les vedettes de hockey o
de cinéma.

Enfin... presque. La raison en étant que ces héro
de la famille avaient souvent des noms portugais et n
baragouinaient que l'anglais.

Ici, pas de débat non plus sur l'avortement. No
pas que la loi interdise de se faire faire la chose o
d'en parler. Mais la société distinguée avait mis a
point des mécanismes sociétaux qui disaient « bon
jour ! » à la conception, c'est-à-dire à la vie. Alors qu
leurs non imaginatifs voisins considéraient une gros
sesse non désirée comme une sorte de maladie qu
seul le chirurgien pouvait traiter (à l'aide de son scal
pel à découper la chair vivante et de son aspirateur
aspirer les débris de cette même chair), les gens d
mon pays, s'inspirant de leurs frères d'Afrique noir
(la Francophonie aura tout de même servi à quelqu
chose), ont développé un type de relations familiale
apparentées à la famille étendue.

Au Québec, les filiations maternelles et pater
nelles sont maintenant matricielles plutôt que li
néaires. Ce qui veut dire qu'un enfant possède, e
plus de ses parents biologiques, plusieurs adultes qu
ont une responsabilité de véritable parrainage enver
lui. Si le père montre des lacunes graves dans sa faço
d'élever son enfant, par exemple, un conseil de famill

se réunit aussitôt pour re-répartir les responsabilités parentales. C'est comme si l'enfant avait plusieurs pères et mères pour diversifier les risques émotifs.

Quand une grossesse survient mal à propos, la famille étendue cherche des parents potentiels qui pourraient partager la maternité et la paternité du futur bébé. Il ne s'agit pas d'adoption, mais de partage, de répartition. Les parents biologiques demeurent les parents biologiques, mais les devoirs, responsabilités et joies parentales sont divisés entre plusieurs adultes.

Résultats de cette approche sociétale originale : certains chirurgiens font moins d'argent, beaucoup de couples stériles sont maintenant parents, les psychiatres traitent moins de traumatismes d'avortement, les politiciens s'inquiètent moins pour l'avenir de leur poids politique (les nombres, en démocratie...), les cours d'école se remplissent de bambins qui ne demandent jamais aux autres « *Why don't you speak English ?* ». Enfin, quelques adolescents particulièrement sensibles remercient leurs nombreux parents de les avoir accueillis sur la planète des vivants.

En un mot, et sans que l'on voit très bien ce qui l'en empêchait à l'époque de la Confédération, la société distinguée a dit « oui » à la vie.

XX

... la cuisine

LA CUISINE, ÇA C'EST DIFFÉRENT ! S'il y a un chose qui a toujours démarqué — ou mieux, distingu — les Québécois, c'est bien la cuisine. Quand on de mande à un visiteur qui a passé quelques jours dan une grande ville de la République de Poutine — essen tiellement Montréal et la vieille capitale —ce qui l'a l plus frappé , la réponse tombe comme du fromag chaud sur des patates frites : « la langue et la cui sine ».

Le Québec est sans contredit l'endroit en Améri que où l'on trouve la plus grande quantité de bons res taurants... français. Personne ne songerait à conteste à Montréal le titre de capitale gastronomique de l'A mérique du Nord (3 500 restaurants). Port d'entrée d vagues successives d'immigrants venus des quatr coins de la planète, l'île sur le grand fleuve s'est pro gressivement retrouvée embaumée de fumets d toutes les couleurs qui se sont répandus dans les rue après avoir remonté la véritable artère mésentériqu qu'est le boulevard Saint-Laurent.

Une épice et une cuisine en déplaçant d'autres o s'y mêlant, la fin du XXe siècle a trouvé une ville où l couscous est aussi à son aise que le souvlaki ou le rouleaux du printemps. Tout cela pour le plus gran délice des palais montréalais.

Ce qui est remarquable, à Montréal comme dan la plupart des villes du pays du Québec, c'est que l gastronomie et les spécialités ethniques côtoient une cuisine populaire locale de qualité qui remplit l'espace stomacal où, ailleurs, s'engouffrent les *fast foods* à l'américaine. S'adaptant aux changements dans les conditions de vie des gens, la cuisine traditionnelle canadienne française est devenue plus légère et moins sucrée, tout en gardant cette saveur bien particulière qui la distingue.

Ils pullulent, les petits établissements sympathiques qui, à tout heure du jour, peuvent vous servir un bon bol de soupe aux pois pour préparer le gosier à une portion de vraie tourtière du Lac-Saint-Jean. S'il vous reste un petit creux, une pointe de tarte à la citrouille viendra le combler. Et si vous n'avez vraiment pas le temps de vous arrêter, une guédille ou deux se mangent bien au volant.

Deux anciens professeurs de sociologie de l'Université Laval ont fait fortune en lançant, au début des années 70, une chaîne de crêperies qui serpente maintenant dans toutes les régions du territoire. Ainsi, quand Harvey's et McDonald's ont débarqué au pays du Québec, Chez Grand-Mère occupait quasiment toute la place avec les Rôtisseries St-Hubert. C'est pour cette raison qu'en 1992, il n'y avait que 50 franchises arborant l'arche en forme de M géant dans le Montréal métropolitain, ce chiffre contrastant fortement avec les 75 de Toronto !

Deux mots sur ce *fast food* de chez nous. Les galettes de Chez Grand-Mère n'ont rien à voir ni avec les crêpes bretonnes, ni avec les *pancakes* Aunt Jemima. Plus épaisses que les bretonnes, les crêpes qu'on y sert contiennent une forte proportion de farine de blé entier et sont offertes dans six variétés : nature, avec saucisses, fromage, maïs ou bacon de dos et, enfin, avec « tout le bataclan », c'est-à-dire *all dressed*. Pour accompagner ce repas minute, les franchisés offrent toute une gamme de jus de pomme plus ou moins fermentés. Ici, celui qui commanderait un coke avec une bataclan passerait pour un barbare sans papille gustative, ou pour un *Canadian* tombé tout droit de la Saskatchewan.

Ainsi donc, au Québec, et ce déjà bien longtemps avant l'Indépendance, une cuisine particulière — distincte — s'était élaborée à l'image des Québécois : des plats traditionnels adaptés aux conditions de la vie moderne. Cette continuité dans le changement — l'évolution, en fait — de l'art culinaire venait rappeler, trois fois par jour, que l'*homo quebecoisus* était fait d'une pâte bien singulière.

Dans notre pays, pas de brisure sèche avec la cuisine d'antan ; pas de recours aux solutions de facilité sous prétexte que c'est pas cher et rapide. Quand on forme une société distinguée, on a une échelle de va leurs différente. Et bien haut dans celle-ci, le praticien de la Joie de vivre a placé la cuisine, comme tout le monde l'a toujours su.

Ici, donc, pas d'alignement de McDonald's, Bur ger King, Wendy's, Tim Horton et autres Dunkin' Do nuts (Chez Grand-mère vend également des beignets, question d'attirer la clientèle des corps policiers) à l'entrée de Chicoutimi, La Tuque ou Victoriaville. Pas ou peu de Pizza Pizza ou de Golden Dragon sur les rues principales. Là où ailleurs on voit le Roi de la Pa tate immobiliser sa roulotte pour annoncer d'infects hot dogs (ou roteux) et des hamburgers au carton, le paysage est parsemé de petits pavillons en pièces sur pièces qui abritent des âtres où mijotent des ragoûts et des soupes aux émanations titillantes qui n'au raient certainement pas laissé indifférentes les narines de nos aïeuls. Tout cela au son d'une musique qui chante en français.

Dans la nouvelle République du Québec, cette cuisine traditionnelle servie à la moderne n'a qu'un seul concurrent sérieux. À moins que ce ne soit un complément ? La nouvelle venue revêt quelquefois une sauce italienne et arrive toujours à remplir son homme. Parce qu'elle incorpore plusieurs éléments disparates et qu'elle ressemble à tout et à rien à la fois, le restaurateur de Warwick, dans les Bois-Francs, qui l'a fait naître derrière son comptoir l'a spontanément baptisée « Poutine ».

XXI

... les moeurs

AU SEIN DE LA SOCIÉTÉ DISTINGUÉE, on vit différemment. Le mot plaisir y prend un sens original, solidarité y rime avec convivialité, la chaleur humaine des carnavals fait oublier les rigueurs de l'hiver et les activités de plein air battent en popularité la télévision de toutes les chaînes.

Le plaisir. On avait remarqué qu'en Amérique, sauf peut-être à Atlantic City et à Las Vegas, les seuls plaisirs sensuels non réglementés d'une façon ou d'une autre par l'État et/ou la société étaient ceux de la bouche (pour éviter toute confusion, disons plutôt ceux de la fourchette). Sur le continent de toutes les libertés, on peut s'empiffrer, se bourrer la face, s'en envoyer derrière la cravate et se remplir la panse aux applaudissements généraux des autres convives, lesquels en font autant.

En fait, cette obsession de la bouffe — en quantité plus qu'en qualité — est à ce point répandue qu'il est surprenant qu'aucun entrepreneur n'ait pensé à ressusciter le vomitorium de la décadence romaine. Plusieurs psychologues amateurs estiment que les Nord-Américains fabriquent du lard par compensation, faute de pouvoir s'adonner impunément à d'autres plaisirs primaires, mais cette théorie échafaudée dans une taverne des Cantons de l'Est n'a jamais été vérifiée scientifiquement.

Dans la République de Poutine, les choses sont différentes. Il y circule visiblement moins de « gros tas » et de grosses « tounnes » qu'au Canada et les gens y cultivent sérieusement l'art de s'amuser — après tout, ne sont-ils pas plus latins ? Si le Québécois moyen doit choisir entre trois heures de temps supplémentaire qui lui permettraient de se payer une nouvelle « bébelle » et un bon gros party entre amis, la « bébelle » prend le bord. Au pays de la Joie de vivre, on sent chez les gens cette disponibilité pour la fête. On trime fort, oui, mais on s'amuse ferme.

Mais attention. Ici, se payer du bon temps veut dire autre chose que regarder un match de hockey à la télévision en buvant sa Molson. Au fil des siècles passés sur cette terre septentrionale, les sensualistes latins que nous sommes ont inventé toutes sortes de jeux actifs qui scandalisent les Anglais et autres prudes. Un exemple de coutume populaire locale est le baptême de la tarte au sucre.

Ce dessert étant trop facile à imiter, à l'idée des gens de mon pays, ils ont entrepris de lui ajouter un piquant bien de chez nous. À l'occasion de parties, il arrive souvent qu'après que la tablée ait élu la plus callipyge des convives, deux ou trois vrais hommes la saisissent et baptisent la tarte avec les empreintes des dites pyges. Par courtoisie autant que pour mesurer le culot de l'heureuse élue, la décision de garder ou non sa petite culotte pour la cérémonie lui revient. Les Anglais n'en reviennent pas de cette truculence vécue et nous, eh bien... on rigole beaucoup.

Cette pratique illustre bien les rapports différents qui, ici, règnent entre les femmes et les hommes. Parce que les femmes s'acceptent comme telles, parce qu'elles sont bien dans leur enveloppe de femme, il ne viendrait à l'esprit de personne qu'une marque d'appréciation d'un beau fessier puisse représenter un manque de respect. Comme le répètent depuis toujours les curés dans les cours de préparation au mariage, « ce qui est beau, attrayant, bon et a été créé par Dieu ne peut être que bien ». Amen !

Les femmes d'ici ont depuis longtemps cessé d'essayer de féminiser leurs frères. Cette gynémorphie (néologisme pondu sur une piste de ski de fond du parc de la Gatineau qui signifie : « s'attendre à ce que l'autre sexe se comporte comme le féminin ») n'a plus cours que chez nos voisins. Les hommes ne sont plus rabroués quand ils se rincent l'oeil des formes des coquettes promeneuses et le sifflement qui tient lieu de compliment pour l'ouvrier à court de vocabulaire est interprété comme tel : un hommage. Dernier pas dans la marche de l'acceptation de l'autre, les hommes n'ont plus à se sentir sans-coeur de pleurer moins souvent que leurs soeurs.

Par voie de conséquence, les rapports entre la Justice (avec, en première ligne, les policiers) et les prostituées ont toujours été complètement différents qu'ailleurs au Canada. Même si ici un code pénal identique régissait l'ensemble du territoire confédéral la mise en vigueur des articles concernant le métier des ribaudes a toujours été distincte au Québec.

Il faut dire que la Chambre des communes d'Ottawa avait eu un avant-goût de ce que serait l'application de la toute nouvelle loi sur la sollicitation de services sexuels au moment même de son vote. Cela s'est passé au milieu des années quatre-vingts. Le gouvernement conservateur d'alors voulait faire voter une loi hypocrite qui, tout en s'abstenant de criminaliser l'activité de prostitution, rendrait illégale toute transaction à cet effet. Autrement dit, la prostitution serait permise à condition d'être gratuite.

Après s'être tordus de rire pendant des heures devant ce chef-d'oeuvre de tartuferie typiquement anglo-saxonne, les membres de tous les sexes de la députation québécoise de tous les partis avaient patiemment expliqué à leurs confrères aux chastes oreilles que la partie qui se fait fourrer, dans la pratique du plus vieux métier du monde, est bien rarement celle que l'on croit. Les députés de la province qui *swing* proposèrent donc de légaliser purement et simplement ce commerce (et la transaction qui l'accompagne) pour que les pratiquantes — et, de plus en plus, les pratiquants — puissent enfin réintégrer le corps social avec tout ce que cela comporte de services reçus et d'impôts perçus.

Devant le blocage des Québécois, d'ailleurs plus amusés que choqués, le Parlement canadien s'était retrouvé paralysé et les choses évoluèrent dans deux directions bien différentes selon que l'on se trouvait dans le puritain Canada anglais ou dans le truculent Canada français. Au pays de la différence, le commerce du sexe est sur un pied d'égalité, en terme de légitimité sociale, avec le commerce des chaussures, les massages shiatsu et les soins capillaires. Résultat : ne subissant pas l'opprobre sociale qui frappe leurs collègues anglaises, les papillons de nuit québécoises n'ont que rarement recours à la drogue et peuvent faire payer tous leurs clients pour leurs indispensables — c'est ce que l'histoire enseigne — services ; y compris les agents des escouades de la moralité. Passons sur le fait qu'il semble y avoir moins de frustrés sexuels de toutes sortes en liberté.

Le jeu est à l'avenant. Faisant fi de la réticenc d'Ottawa, le gouvernement provincial a depuis long temps décidé de confier à la Régie des loteries le mar dat d'ouvrir et d'administrer quatre casinos tou services : un à La Malbaie, un autre à Magog, un tro sième à Hull (pour mieux drainer les dollars onta riens), le dernier sur la terrasse reconvertie du Palai des Congrès à Montréal. Dans le cadre de la Franco phonie déjà agonisante, quelques coopérants françai sont venus former des croupiers, des changeurs et de hôtesses. En voyant rouler les beaux jetons sur les ta pis verts, le ministre des Finances n'a eu qu'un regret avoir autant tardé à imiter ses collègues de plusieur provinces canadiennes qui, elles, abritaient des casi nos depuis belle lurette.

Un seul problème. On a vite remarqué que depui que les maisons de jeux opèrent légalement, Loto Québec vend moins de gratteux et de 6-49. C'es peut-être qu'il est plus excitant de placer des jetons e des plaques sur un numéro de roulette que de gratte un bout de papier ou lire un numéro à neuf chiffre sur un reçu.

Le casino de Hull mérite une visite guidée. Instal lé en bordure de la grande rivière des Outaouais, so architecture s'inscrit dans la meilleure tradition cana dienne française. Le constructeur a reproduit trois ha bitations de la Place Royale du vieux Québec, à cett nuance près qu'elles communiquent entre elles. Si l chiffre d'affaires venait à dépasser les prévisions, rie n'empêcherait de coller un autre bâtiment à cet en semble modulaire.

À l'intérieur, le client non familier avec l'établis sement est accompagné d'une pièce à l'autre : l bruyante salle des machines à sous, le salon des rou lettes, les tables de 21, etc. Un bar et un bistro, tous deux centrés sur le foyer, complètent le premier étage.

Au deuxième, on a installé un charmant petit musée du jeu ouvert aux visites des écoliers les avant-midi de semaine. D'autres pièces logent les gestionnaires et comptables, ainsi que le discret cabinet d'un psychologue pour les rares joueurs qui prennent bien mal le fait de perdre de grosses sommes... ou d'en gagner.

« Mais, dira-t-on, était-il nécessaire de parier sur l'Indépendance pour avoir le privilège de gager sa paye sur une carte à jouer ? » Le joker a certainement son idée là-dessus !

XXII

... *la culture*

AH, LA CULTURE ! La culture source d'identification ; la culture origine de différenciation ; la culture lieu de ralliement ; la culture autant point de départ que but à atteindre.

Avec la langue qu'elle parle, la culture est la chair essentielle du Québécois. Hors de lui, sa culture n'existe pas ; sans elle, il coule à pic dans la mer anglophone et se noie par assimilation.

Si tant de Québécois et Québécoises ont coché « oui », il y a dix ans, c'est pour permettre à ce nageur minoritaire de poursuivre sa course à contre-courant. Sans cet influx d'oxygène reçu en coupant le cordon ombilical qui le rattachait à des parents mal assortis, la culture distincte de l'îlot québécois serait disparu sous les vagues déferlantes de l'américanisation.

Cette entreprise funeste d'américanisation avait commencé dès après la Conquête. À l'habitant déserté par ses élites non cléricales vite retournées dans la métropole française après la signature du traité de Paris, l'Anglo-Américain avait interdit de construire sa maison à son image, banni les danses carrées des campagnes, subventionné la consommation du gros gin et transformé les cabanes à sucre en autant de pubs. Les rouets étaient brûlés à vue, la religion catholique prenait le chemin des catacombes et la copulation devenait passible de prison (question de ne pas multiplier les porteurs-vecteurs de la culture à annihiler).

Plus tard, l'industrie naissante et son corollaire l'urbanisation s'abattirent sur le rocher solitaire comme un raz-de-marée. Après qu'ils eurent chassé les ramancheurs des campagnes, des comploteurs orangistes s'assurèrent que tous les termes techniques qui venaient de l'Angleterre ou des États-Unis seraient anglais. Une *factory* fut construite à Windsor Mills pour abriter les lignes d'assemblage sur lesquelles se penchait du *cheap labour* dirigé par des *foremen* qui veillaient à réduire au maximum le nombre des *rejects*. Pour s'assurer que la main-d'oeuvre ainsi arrachée de force des fermes canadiennes françaises qui manquaient alors de bras perdrait définitivement le goût de sa culture, les *boss* forçaient les ouvriers à manger des *kidney pies* et des hamburgers aux cafétérias de leurs *sweat shops*.

Quand les ondes électro-magnétiques donnèrent des armes modernes aux assaillants assimilateurs, des unités de *marines* et de *G.I.* (*General Issue*) américains organisèrent des descentes dans les postes radio pour obliger les *disc jockeys* à faire tourner les chansons des Beach Boys, Beatles, et autres Madonna. Le complice fédéral ne fut pas longtemps en reste. Il mit sur pied le CRTC, une sorte de régie qui voyait à ce que les stations francophones ne dépassent pas un quota — d'ailleurs établi très bas — de chansons dans la langue de Jacques Brel, Gilles Vigneault, Julie Masse et Daniel Lavoie. Les tricheurs qui faisaient jouer trop de disques de langue française risquaient de perdre leur licence et la fréquence de diffusion qui venait avec ce papier.

Toutes les radios privées furent sommées d'abrutir leurs auditeurs à coups d'annonces publicitaires plus débiles les unes les autres. En bons citoyens respectueux des consignes gouvernementales, la quasi totalité des Québécois pure laine écoutaient religieusement ce flot d'insanités. Des voyageurs avaient remarqué que quelques chauffeurs de taxi s'adonnaient à l'écoute de la radio d'État sans publicité (une créature fédérale du nom de Radio-Canada), mais il s'agissait le plus souvent de nouveaux immigrants haïtiens encore peu au fait des us et coutumes locales, les pauvres.

Il y avait bien des poches de résistance dans les campagnes, mais les pelotons héliportés de la US Army eurent tôt fait de forcer les bars de l'Abitibi et de la Beauce à se mettre à la musique disco comme tout le monde. Quand ces *G.I.* venus du ciel descendaient sur un *grill* d'Amos ou de Val d'Or, ils abattaient la culture selon des méthodes éprouvées à Panama et ailleurs : après avoir passé un *order* de *drafts* dans des *pitchers*, ces soldats de la répression culturelle obligeaient le *waiter* à leur remettre du *change* (pour le *tip*) contre leurs gros *bills*.

Dans un deuxième temps de cette opération, les commandos crissaient leurs *guns* dans la face du *manager* pour le convaincre de faire entendre *full blast* des *bands* américains et britanniques qui ne connaissaient même pas l'existence d'Amos. *Full blast*, parce qu'ainsi le monde de par icitte ne pouvait plus s'entendre parler, c'est-à-dire communiquer. Et, comme chacun le sait, là où il n'y a pas de communication...

Le tout se terminait par un *strip-tease* gynécologique exécuté sur un rythme disco aussi sexy que le *Requiem* de Fauré.

À la fin des années quatre-vingts et au début des années quatre-vingt-dix, ces attaques sauvages contre la culture québécoise prirent l'allure d'un assaut final, et ce sur tous les fronts.

Les quelques Québécois qui n'avaient pas complètement renoncé à la lecture au profit de la télévision remarquaient que les publications en langue française se vendaient à des prix nettement plus élevés que leurs concurrentes américaines. Le magazine *Le Nouvel Observateur*, par exemple, était maintenant obligé de demander deux fois le prix du *Time* ou de *Newsweek*. Le *New York Times* se vendait à peine moins cher que *Le Monde*, mais il offrait à peu près cinq fois plus de contenu rédactionnel. Quel coup bas !

À la télévision, les abonnés québécois de CNN avaient dû traduire eux-mêmes les reportages sur la guerre du Golfe et les grands réseaux commerciaux américains interdisaient aux reporters de Télévision Quatre Saisons de sortir de l'île de Montréal. Si ces derniers voulaient traiter de l'actualité internationale, ils n'avaient qu'à coller la traduction des dépêches de Associated Press et de Reuters sur des images fournies gracieusement par NBC News. Voilà !

Si l'on prend le mot culture dans un sens plus large, plus anthropologique, on est à même de mesurer l'ampleur des attaques dirigées contre la distinction québécoise. La Société canadienne d'hypothèques et de logement, un organisme fédéral, n'accordait ses garanties de prêts que pour des maisons individuelles de type californien. Pas question de favoriser les condos, même affublés de noms loufoques comme « Château des Gouverneurs » ou « Jardins Neuchâtel ». Et si un groupe de familles canadiennes fran-

çaises sollicitaient des assurances financières po
construire une habitation communale où certain
pièces comme la cuisine et la salle de jeux seraie
partagées, la réponse tombait sec : « *no way !* ».

Il y avait pire. Pensez donc, plusieurs famill
québécoises continuaient d'héberger leurs vieux p
rents dans leurs propres demeures ! *Shocking* ! Ma
gré les recommandations du bon docteur Ballard, d
gens tenaient mordicus à cette sale habitude de nou
rir les animaux domestiques avec les restes de table
Outrageous !

De même, les banques refusaient de prêter po
l'achat de voitures ayant plus d'un propriétaire. P
leur politique de crédit à la consommation, les inst
tutions financières perpétuaient l'individualisme
empêchaient le traditionnel esprit communal can
dien français de s'épanouir dans la vie moderne. Et l
Caisses pop ? Certains cinéastes professent qu'ell
emboîtèrent le pas pour ne pas déplaire à la Banq
du Canada.

Idem pour l'éthique du travail et les rapports e
tre les gouvernements et leurs commettants. U
exemple parmi tant d'autres : le fédéral — le diab
sait comment il s'y était pris — avait amené les fon
tionnaires provinciaux du ministère de la Cultu
(compétence provinciale) à monter une énorme b
reaucratie inefficace qui faisait l'envie des appara
chiks albanais.

Le comble : même morts, les Québécois étaie
obligés de se voir organiser des funérailles à la califo
nienne avec Cadillac allongée en guise de corbillard
cercueil en acier inoxydable pour mieux conserver l
restes du défunt. Les ethnologues de demain, gran
étudiants des rites funéraires, devront donc se raba

tre sur d'autres manifestations plus originales pour départager nos pratiques culturelles de la dominante et envahissante culture yankee.

Ah !... ce damné gouvernement fédéral ! Ah !... cette maudite Confédération canadienne !

Mais, heureusement, depuis que le « oui » majoritaire lui a permis de larguer les amarres qui le retenaient au rafiot canadien, la goélette québécoise peut enfin voguer sur une mer tranquille enfin débarrassée des pirates anglais. (C'est du moins ce que prédit la fable de la culture sauvée *in extremis* par le repli sur elle-même de la nation.)

XXIII

... *les Amérindiens*

IL Y A TREIZE ANS, À L'ÉTÉ 1990, les Québécoi
ont vécu une expérience extrêmement traumatisante
Un groupe de Mohawks ont pris les armes (genre fu
sils-mitrailleurs AK-47) pour bien montrer que l'em
piétement de leurs terres ancestrales avait assez duré
Le nom « Oka » est alors devenu symbole du malaise
croissant entre les deux sociétés : la blanche post-in
dustrialisée et l'amérindienne, laquelle se présente
comme la victime dépossédée par cette abjecte industrialisation.

À la surprise de bien des gens, on s'est rendu
compte à cette occasion que le territoire du Québec
abritait deux collectivités divisées par un contentieux
vieux de trois siècles : celui de la colonisation. Pour
plusieurs Blancs, la crise d'Oka fut l'occasion d'une
remise en question profonde de la légitimité de leur
présence sur les bords étendus du Saint-Laurent. Et
ce, justement au moment où une majorité de Québécois se sentaient assez en maîtrise de leur destinée politique pour prendre leurs distances d'avec le reste du
Canada.

Légalistes par tradition et pacifistes par naïveté,
les Québécois se sont dits que si les *warriors* mohawks prenaient les armes, c'est qu'ils devaient certainement avoir de bonnes raisons. C'est du moins la
réflexion qu'ils se firent dans un premier temps. Ensuite, les télévisions ayant dirigé leurs caméras sur

les points plus chauds de la petite planète Québec et
e recul aidant, ils entreprirent un exercice de ré-
lexion pour voir s'ils avaient raison de se sentir cou-
ables envers leurs concitoyens amérindiens.

Cette expérience amena quelques libres penseurs
reprendre les principaux arguments du militantisme
mérindien pour en examiner le bien-fondé.

Premier argument répété aux nombreux micros
endus : la non conquête. Plus d'un chef amérindien
e plaisaient à rappeler qu'ici, contrairement à ce qui
'était passé aux États-Unis, par exemple, les Amérin-
iens n'avaient jamais été conquis. C'était oublier le
égiment de Carignan venu de France en 1665 pour
pacifier » le pays iroquois. Quant aux autres tribus
e l'Est du Canada, elles avaient été bien contentes de
'allier aux puissants Français dont les mousquets
rachaient le feu pour les défendre contre les Iroquois,
ustement. (Rappelons que les Mohawks forment la
lus belliqueuse des six nations iroquoises.)

Ça, c'est pour le militaire. Plus fondamentale-
nent, le Canada et le Québec contemporains sont le
ésultat d'une conquête implicite (c'est-à-dire sans le
ang, Dieu merci) par le déplacement progressif de
ultures de chasseurs-cueilleurs par des habitants-cul-
ivateurs. Les seconds l'ont emporté pour la simple et
rosaïque raison qu'ils étaient économiquement plus
fficaces. La preuve éclatante de la réalité de cette
ouble conquête se trouve aux Parlements d'Ottawa et
e Québec : bien peu d'Amérindiens y siègent.

Ces mêmes observateurs, qui avaient l'audace de
e prendre pour les héritiers spirituels du pamphlé-
aire Arthur Buies, s'attaquèrent ensuite aux autres
rands arguments du militantisme amérindien. L'un
es plus populaires consistait à avancer que, dans l'es-

pèce de partenariat qui a suivi l'arrivée des Européeı
en Amérique du Nord, l'Indien s'est fait flouer pui
que son niveau de vie est toujours inférieur à celui d
Blancs. La réplique coulait de source : la prospéri
économique telle que nous la connaissons provena
de l'industrie, personne ne peut s'attendre à retirer a
sez de bénéfices de la chasse et de la pêche po
construire des universités, des métros et des salles
cinéma, ainsi que pour se payer des vacances de ski
une piscine creusée.

Les Amérindiens qui voulaient améliorer le
sort étaient donc chaleureusement invités à entrer
plein pied dans l'économie moderne.

Autre argument que les Québécois, contrair
ment aux Canadiens des autres provinces, avaie
vite démoli : l'Amérindien protecteur de l'environn
ment — pourrait-on dire par définition — doit emp
cher le descendant de l'Européen industriel (ou est-
industrieux ?) de polluer complètement le territoir
Pour vérifier la capacité de l'Amérindien à rempl
cette noble tâche, des journalistes avaient fait la tou
née de plusieurs réserves pour en dresser le bilan éc
logique. Ils en étaient revenus en se demanda
comment toute une société supposément bien info
mée avait pu avaler aussi longtemps le mythe d
« Bon Sauvage vivant en parfaite harmonie avec la n
ture ».

Au fil de cette recherche intellectuelle national
les Québécois avaient remarqué que bien peu d'Am
rindiens du Sud du Québec avaient l'air de pu
Peaux-Rouges. Les yeux bleus et les fortes barbes,
calvitie avancée et les cheveux pâles de plusieurs ra
pelaient aux autres Québécois que depuis des tem
immémoriaux, dans ce pays, une autre manière d'e

primer qu'une femme est enceinte, c'est de dire que « le Sauvage est passé ». Est-ce une façon d'exprimer que les sangs français et indien se sont beaucoup mêlés au fil de quatre siècles de cohabitation ?

Ce métissage aurait dû nous convaincre que tout le monde était dans le même bateau. Pourtant, les Indiens tenaient mordicus à leur statut de premiers occupants. Était-ce parce que ce titre leur permettait de recevoir une partie de la manne fédérale de quatre milliards de dollars qui tombe chaque année dans les mains du demi-million d'Amérindiens inscrits du Canada ? Était-ce parce qu'un *Band Number* conférait à son titulaire un paquet de privilèges fiscaux (pas de taxe de vente ni de TPS sur les biens et services consommés sur la réserve, pas d'impôt sur les revenus gagnés sur la réserve, pas de droits de douane et ainsi de suite) ?

Était-ce, en un mot, parce que le statut très convoité d'Amérindien légal permettait de vivre aux crochets de la société industrielle (et industrieuse) tant honnie ? Quoi qu'il en soit, forts de ces éléments de réflexion, les Québécois se mirent à adopter une autre attitude vis-à-vis leurs concitoyens amérindiens : finie la culpabilité, vive l'égalité !

Si un Iroquois (nom signifiant « vraies vipères » en langue algonquine) de Kanawake ne payait pas sa facture d'électricité, l'Hydro coupait le courant. Si un *warrior* mohawk se comportait en gangster, il était traité comme tel. Quand un Amérindien contribuait à l'ensemble de la société — en ouvrant une boutique d'herbes médicinales, par exemple —, il en était remercié. Non pas en tant qu'homme d'une couleur spéciale, et au sang sacré, mais en tant qu'homme tout court. « Après tout, comme le répétait si juste-

ment un citoyen d'Oka pendant « l'été indien », n
sommes-nous tous pas faits de peau de monde ? »

Assez curieusement, au fur et à mesure de l'é
mergence de cette mentalité égalitariste, les Haïtien
les Chinois et les Juifs pure laine se mirent à se sent
plus chez eux dans la République de Poutine.

Le gouvernement fédéral se retrouva donc seul
pratiquer un paternalisme navrant envers ce 2 % de l
population canadienne (moins de 1 % de la popula
tion au Québec). Ça devint tellement gênant que l
reste du Canada d'alors commença peu à peu à faire
son tour l'examen de conscience cathartique qui ava
fait tant de bien aux Québécois.

L'exercice se poursuit toujours.

XXIV

... la violence

LA VIOLENCE FAIT PARTIE INTÉGRANTE de la vie. Naître est violent, mourir l'est tout autant. La copulation qui amorce la reproduction de l'espèce est un acte de violence autant d'amour.

Le stratagème de la société civilisée consiste à mettre la plus grande distance possible entre l'étape violente d'un processus et sa finalité. En fait, on peut certainement dire que le degré de civilisation est fonction de cette distance.

S'il veut manger à sa faim, le membre d'une culture dite primitive doit savoir tuer, plumer et éviscérer le gibier (ce peut être aussi bien un singe qu'une pintade). À l'autre extrémité de l'échelle, le consommateur de la culture post-industrielle peut attraper son filet mignon entre son pouce et son index, et encore, avec le tampon supplémentaire de l'emballage de cellophane.

Ainsi donc, ayant admis assez facilement que la violence faisait partie de la vie, la société distinguée a entrepris de vivre avec elle. Pas comme avec une concubine malcommode, mais plutôt comme avec un colocataire imposé qui paye la grosse part du loyer.

Les philosophes officiels de la République de Poutine avaient remarqué que la Terre semblant se rétrécir, elle mettait de plus en plus les citoyens pacifistes en contact direct avec une infime minorité d'hommes et de femmes qui n'avaient pas le même rapport de

gêne vis-à-vis la violence. Quand ils en avaient be
soin, ces individus l'utilisaient d'autant plus libérale
ment que la société qui les hébergeait leur paraissa
extrêmement vulnérable à cette arme. Les libres per
seurs amateurs de poutine tirèrent alors de l'inépuisa
ble corpus de la sagesse populaire quelques précepte
dont les énoncés étaient on ne peut plus éloquents
« Il y a des coups de pied au cul qui se perdent »
« Une bonne mornifle peut replacer les idées », « Un
gifle bien administrée est sans réplique », « Oeil pou
oeil, dent pour dent est souvent garant de la paix »
« Une claque d'habitant rachète bien des insultes »
« *Si vis pacem, para bellum* * », « On combat le feu pa
le feu », etc.

Les femmes qui se considéraient harcelée
sexuellement se mirent donc à distribuer des gifle
aux mécréants. Les bureaux sont maintenant plu
bruyants, mais on a moins besoin de tribunaux d
toutes sortes pour redresser les torts.

Les gens trouvés coupables de vandalisme et au
tres crimes gratuits ont désormais droit à une rangé
de coups de pied au derrière servis en public par le
pieds bottés elles-mêmes des victimes.

Les batteurs de femmes ont dorénavant affair
aux forces combinées des pères, frères, cousins de l
campagne venus spécialement pour l'occasion
confrères et amis qui se bagarrent quasiment entr
eux pour savoir qui aura l'honneur de frapper l
monstre pendant que les autres l'immobilisent. Mêm
chose, en inversant les sexes, pour les grosses ma

* Si tu veux la paix, fais la guerre

trones coupables de sévices corporels à l'endroit de leurs frêles compagnons.

Des parents excédés de voir des voyous vendre de la drogue à leurs enfants dans les cours d'école organisent maintenant des « battues ». Les photographies des pushers « passés au batte » publiées dans les journaux populaires ont l'heur de terroriser plus d'un vendeur de sensations fortes à rabais : ils s'enfuient en masse vers Toronto, Chicago, ou plus loin encore. Politique semblable, qui a suivi le même type de ras-le-bol, pour les voleurs de bicyclettes.

Fatigués de vivre en prisonniers de leurs propres maisons, les Québécois ont décidé de bien enfermer, et pour longtemps, ceux et celles qui utilisaient la violence — ou sa menace — pour les tenir en otage. Avec des civilisés, on agit en civilisé ; avec des demi-civilisés, on se comporte en demi-sauvage ; face à des barbares, notre réaction en est une de primate.

Cette acceptation de la violence comme étant un phénomène inévitable de la vie, a comme apprivoisé ce démon (à moins que ça n'aboutisse à la situation affreuse de l'Irlande du Nord ou de la Yougoslavie !) . Maintenant que nous la prenons pour ce qu'elle est, un peu comme la maladie et la mort, la bête a fini de nous épouvanter. Quand elle sort le bout de son nez hors de sa caverne, les citoyens de la République lui tranchent le cou tout net.

C'est fou comme l'éclatement du contraignant cadre confédéral a permis de libérer l'imagination politique et sociale des Québécois ! Certains diront que le lien entre les deux est loin d'être évident, mais ce ne sont là que des « casseux de party ».

Et s'ils n'arrêtent pas de protester, on va tous leur casser la gueule !

CONCLUSION

L'inutile indépendance

DIX ANS APRÈS LE GESTE irrévocable, dix ans après qu'une majorité de Québécois eurent coché « oui » sur le bulletin de vote qui leur demandait s'ils voulaient l'indépendance pour leur pays, qu'avons-nous gagné ?

Nous devions nous grandir en rapetissant le cadre politique et économique dans lequel nous évoluions. Nous étions censés nous épanouir plus complètement en rompant les liens qui nous rattachaient au reste du Canada. Le Québécois se devait de faire enfin un homme de lui en prenant le contrôle total de sa destinée. C'est du moins comme ça que le projet a été vendu. Ainsi présenté comme une libération et un affranchissement, le passage à l'âge adulte en somme, le « oui » s'avérait irrésistible.

Comment se fait-il, alors, que si peu de ces belles promesses aient été remplies ? Comment se fait-il que le citoyen moyen de la République de Poutine se retrouve aujourd'hui gros-Jean comme devant ? Pour la raison bien simple que le politique ne commande ni l'économique, ni le géographique, ni le démographique — et cette règle est d'autant plus vérifiable pour les petits pays qui, comme le nôtre, n'ont qu'un seul voisin, au demeurant la nation la plus puissante de la planète.

Autrement dit, le Québec politiquement souverain ne s'est pas changé en île le jour où il s'est séparé du Canada. Il est toujours imbriqué dans l'Amérique du Nord, dans ce continent dominé par les Yankees qui, eux, n'ont que faire d'un groupe de cinq millions de personnes qui se distinguent principalement par la langue et les escaliers extérieurs de quelques rues de Montréal.

Le redessinage de la carte politique n'a pas suffi à faire naître une technologie originale qui aurait pu, à son tour, permettre à une culture véritablement singulière de voir le jour (culture prise au sens plus anthropologique du terme). D'ailleurs, comment pourrait-il en être autrement ? La globalisation de l'économie aidant, les idées et les produits voyagent aujourd'hui trop vite pour qu'un marché local (à l'échelle américaine) refuse bien longtemps le beurre de d'arachides, le WordPerfect, le Water Pik et la télévision haute définition.

Ici comme en Afrique ou en Amérique latine, la multiplication des entités « souveraines » fait vivre — très bien merci — toute une foule de personnages politiques qui, autrement, auraient été réduits à diriger des PME. La direction d'une république — fût-elle une république de sirop d'érable — vaut bien des fois celle de Culinar. « Plutôt premier dans mon village que second à Rome », telle semble être la plus récente devise de beaucoup d'élites de chez nous qui peuvent enfin se tailler des fiefs à leur mesure. Mais pendant que les titres de nos leaders se gonflent de vent, qu'advient-il de Joseph Bleau et de son cousin Jean Latrémouille ?

S'ils veulent améliorer leur sort économique, s'ils veulent augmenter leur emprise sur leur vie, eux et la multitude des ouvriers spécialisés doivent continuer à puiser à même la technologie américaine. Elle compte en anglais. En contraste, la mamelle qui abreuve la grande majorité de nos leaders politiques et de nos apparatchiks culturels, elle, chante en français. Élites branchées sur la France et travailleurs connectés aux États-Unis : quel beau cas de découplage !

Quant à l'édification d'une société distincte, cette aspiration est tout à fait légitime mais elle n'a pas grand-chose à voir avec le cadre politique. Dans l'ancienne Confédération canadienne, qu'est-ce donc qui empêchait les habitants de la grande vallée du Saint-Laurent d'établir un type de relations original avec leur environnement, leurs voisins, leurs familles ou le cosmos ? Le gouvernement fédéral, ou le manque d'imagination ?

Finalement, maintenant que chacun des individus québécois est représenté dans l'arène mondiale par un chef qui ne parle que pour cinq millions de personnes (moins du cinquantième de la population américaine), les intérêts de ce citoyen — et cela comprend le culturel — sont-ils mieux défendus ?

Étant donné qu'en politique les nombres comptent énormément, la réponse ne peut être que « Non ! »

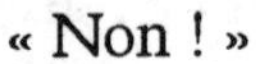

François Dallaire

ACHEVÉ D'IMPRIMER
EN AOÛT **1992**
SUR LES PRESSES DE
PAYETTE & SIMMS INC.
À SAINT-LAMBERT, P.Q.